Manuela Georgiakaki
Monika Bovermann
Elisabeth Graf-Riemann
Christiane Seuthe

A 1.1

Beste Freunde
DEUTSCH FÜR JUGENDLICHE
Kursbuch

Hueber Verlag

Beratung:
Lucia Alt, Goethe-Institut São Paulo, Brasilien
PD Dr. habil. Marion Grein, Johannes Gutenberg-Universität Mainz

Fotoproduktion:
Fotograf: Alexander Keller, München
Organisation: Iciar Caso, Weßling

11. 10. 9.   Die letzten Ziffern
2025 24 23 22 21   bezeichnen Zahl und Jahr des Druckes.
Alle Drucke dieser Auflage können, da unverändert,
nebeneinander benutzt werden.
1. Auflage
© 2013 Hueber Verlag GmbH & Co. KG, 85737 Ismaning, Deutschland
Umschlaggestaltung: Sieveking · Agentur für Kommunikation, München
Layout und Satz: Sieveking · Agentur für Kommunikation, München
Verlagsredaktion: Anna Hila, Julia Guess, Beate Dorner,
Silke Hilpert, Hueber Verlag, Ismaning; Anja Schümann, München
Druck und Bindung: Westermann Druck GmbH, Braunschweig
Printed in Germany
ISBN 978-3-19-301051-3

Art. 530_10355_001_09

Vorwort

Liebe Leserinnen, liebe Leser,

Beste Freunde – das könnten Ihre Lerner und dieses Buch werden!
Beste Freunde richtet sich an Jugendliche, die mit dem Deutschlernen beginnen,
und führt sie in überschaubaren und sicheren Schritten in die neue Sprache ein.
Begleitet werden die Lernenden dabei von einer Freundesgruppe von Jugendlichen,
denen sie in unterschiedlichen Situationen und kleinen Geschichten begegnen
und die sie mit einer Vielzahl von Themen bekannt machen. Die Auswahl dieser
Themen orientiert sich an den Vorgaben des *Gemeinsamen Europäischen Referenz-
rahmens für Sprachen* (GER).

Beste Freunde unterstützt ein aufgabenorientiertes, kommunikatives Lernen,
das den aktuellen Gebrauch der Sprache berücksichtigt. Der kleinschrittige,
systematische Aufbau von Grammatik, Wortschatz und Redemitteln sowie eine
klare Aufgabenstellung sorgen dabei für Sicherheit und Transparenz.

Das Kursbuch ist in Module gegliedert. Jedes Modul umfasst drei kurze Lektionen
mit je vier Seiten und wird von einem der Jugendlichen thematisch zusammen-
gehalten. Auf einer Moduleinstiegsseite wird der jeweilige Protagonist bzw.
die jeweilige Protagonistin in einem Porträt vorgestellt, zusammen mit den
kommunikativen Lernzielen des Moduls. Unterschiedliche Lese- und Hörtexte
sind der Ausgangspunkt für die systematische Spracharbeit in den Lektionen.
In vielen Lektionen sind zudem Partnerübungen angelegt, die mit Partnerseiten
im Arbeitsbuch verknüpft sind und eine Vertiefung des Lernstoffs ermöglichen.
Jedes Modul enthält darüber hinaus eine magazinartige Seite mit interessanten
Informationen zur Landeskunde, eine Projektseite für die Portfolio-Arbeit sowie
eine Grammatikübersicht, die den Grammatikstoff des Moduls übersichtlich
zusammenfasst. Eine Wiederholungsseite mit binnendifferenzierenden Aufgaben
zu allen drei Lektionen des Moduls bildet jeweils den Abschluss.
Im ersten Band ist eine Start-Lektion vorgeschaltet, die die Lernenden mit
grundlegendem Wortschatz und wichtigen Redemitteln vertraut macht.

Allen, die mit *Beste(n) Freunde(n)* arbeiten, wünschen wir viel Spaß und Erfolg!
Die Autorinnen

Piktogramme und Symbole

Wie heißen die Städte in deiner Sprache?

28 🔊	Aufgabe mit Hörtext – auf Audio-CD oder über die App abrufbar
👥	Partnerübung im Arbeitsbuch
→ AB, Ü 9	Übung im Arbeitsbuch
→ GRAMMATIK	Selbstentdeckende Grammatik-übung im Arbeitsbuch
→ SCHREIBTRAINING	Schreibtraining im Arbeitsbuch

Verben
ich spiele   du spielst

Achte auf die Satzmelodie.

Grammatik

Hinweise zum Sprachvergleich

Lerntipps

Arbeitsblätter zum fächerüber-greifenden Unterricht auf www.hueber.de/beste-freunde

Inhalt

Inhalt

Hallo, guten Tag!

1a Schau das Bild an und hör zu.

2

Hallo! Das ist Jonas und ich bin Johanna.

Hallo, ich bin Jonas.

START

Hallo!

b Hör noch einmal und sprich nach.

3

2a Hör zu und lies die Namen mit.

4

Sarah	Daniel	Martin	Johanna	Lilly
Lukas	Leonie	Stefan	Emma	Jonas

b Hör zu. Welche Namen hörst du?

5

c Sucht Namen in 2a aus und stellt euch vor.

Hallo! Ich bin Leonie.

Hallo! Das ist Leonie und ich bin Stefan.

Hallo! Das ist Stefan und ich bin …

3a Hör zu und lies mit.

6
- ● Ich bin Leonie.
- ◆ Leonie? Wie schreibt man das?
- ● L – e – o – n – i – e.
- ◆ Wie bitte?
- ● L – e – o – n – i – e.
- ◆ Vielen Dank.

b Hör noch einmal und sprich nach.

7

c Sprecht den Dialog zu zweit.

4 Das Alphabet. Hör zu und sprich nach.

8

Aa Bb Cc Dd Ee Ff Gg Hh Ii Jj Kk Ll Mm
Nn Oo Pp Qq Rr Ss Tt Uu Vv Ww Xx Yy Zz

Ä-ä Ö-ö Ü-ü ß

Du findest eine Aussprache-Tabelle auf Seite 90 im Arbeitsbuch.

5 Spielt Dialoge wie in 3a mit den Namen aus 2a. Schreibt die Namen auf.

→ AB, Ü 1–2

6a Hör das Lied und lies mit. Ergänze dann
die Wochentage.

 9

 b Hör zu und sprich nach.

10

1. ? tag, ? tag, Mittwoch, ? tag, ? tag

2. Wochenende: ? , ?

GUTEN TAG!

Montag, Montag
Guten Tag!

Dienstag, Dienstag
Guten Morgen!

Mittwoch, Mittwoch
Hey, hallo!

Einen schönen guten Tag!

Donnerstag, Donnerstag
Guten Abend!

Freitag, Freitag
Gute Nacht!

Samstag, Samstag
Wochenende!

Sonntag, Sonntag
Wochenende!

Ein wunderschönes Wochenende!

 7a Was passt zusammen? Ordne zu.

B Guten Abend!   ? Guten Tag!   ? Gute Nacht!   ? Guten Morgen!

 A

 B

 C

 D

 b Hör zu und kontrolliere.

11-14

 8 Hört das Lied noch einmal und singt mit.

9

→ AB, Ü 3–4

9a Wie ist die Reihenfolge?

? Februar   ? Oktober   ① Januar   ? Dezember

? Mai   ? Juli   ? Juni   ? September

? März   ? August   ? April   ? November

> Englisch hilft! Diese Wörter verstehst du schon. Du findest sie auch mit diesem Zeichen 🌐 im Lernwortschatz.

b Hör zu und kontrolliere.
15 🔊

c Hör zu und sprich nach.
16 🔊

d Hör zu. Summt und spielt dann Dialoge.
17 🔊   ■ Hmhmhm.   ▲ Januar?   ■ Nein. X   ▲ Februar?   ■ Ja. √

10a Spielt das Partnersuchspiel.

Juli?   Nein.

September?   Ja.

November?   Ja.

b Stellt euch in Paaren zur passenden Jahreszeit.

Frühling

Sommer

Herbst

Winter

→ AB, Ü 5–6

11a Schau das Bild an und lies.

... sechs, sieben, acht.

eins, zwei, drei ...

b Ergänze die Zahlen.

0	null								
1	?	2	?	3	?	4	vier	5	fünf
6	?	7	?	8	?	9	neun	10	zehn
11	elf	12	zwölf	13	dreizehn	14	vierzehn	15	?
16	sechzehn	17	siebzehn	18	achtzehn	19	?	20	zwanzig

c Hör zu und kontrolliere.

18 ·))

13

dreizehn

d Hör noch einmal und sprich nach.

19 ·))

12 Spielt Bingo.

→ AB, Ü 7–10

Bingo	5	1	6
	15	10	11
	4	20	8

Bingo!

13a Hör zu und lies mit.

20 ·))

weiß   gelb   orange   rot   lila   blau   grün   braun   grau   schwarz

b Hör noch einmal und sprich nach.

21 ·))

14 Schaut noch einmal die Zahlen in **11b** an. Ratet.

Rot.

Drei?

Nein!

Dreizehn?

Ja!

→ AB, Ü 11–13

Laura

Steckbrief	
Name:	(1) Kobell
Alter:	(2)
Wohnort:	München
Haare:	blond
Augen:	(3)
Geschwister:	Bruder (Daniel, 16)
Hobbys:	singen, klettern, (4)
Schule:	Sport, Musik, Mathematik

1 Lies Lauras Steckbrief. Was passt? Ordne zu.

12 • Fußball • Laura • blau

2 Was passt zu Laura? Was glaubst du? Antworte in deiner Sprache.

a

b

c

Lernziele

jemanden begrüßen / sich verabschieden ● seine Meinung sagen ● sich und andere vorstellen ● Herkunft und Wohnort nennen ● sagen, wo ein Ort ist ● sagen, was man gern / nicht gern macht ● einen Vorschlag machen / annehmen / ablehnen ● jemanden fragen, wie es ihm geht ● sagen, dass man etwas nicht weiß

Und wer bist du?

1   **Schau das Bild an und antworte in deiner Sprache.**

- Was ist hier los?
- Was sagen Laura und Anna? Was meinst du?

2a   **Schau noch einmal das Bild an. Was passt zusammen? Ordne zu.**

Gitarre (?)   Lampe (?)   Sessel (?)   Surfbrett (?)   Junge (A)

b   **Hör zu und kontrolliere.**

22))

c   **Hör zu und sprich nach.**

23))   (→) AB, Ü 1 |

3a   **Hör zu und antworte in deiner Sprache.**

24))   • Wie finden Laura und Anna, was sie sehen?

     (a) ☺   (b) ☹   (c) ☺ + ☹

b   **Hör noch einmal und lies mit.**

24))

Anna:	Laura, schau mal, die Lampe!
Laura:	Cool! Und da, der Sessel ...
Anna:	Blöd, oder?
Laura:	Nein! Der Sessel ist super!
Anna:	Und wer ist der Junge?
Laura:	Keine Ahnung.
Anna:	Süß, oder?
Laura:	Hm, ja. ... Schau mal, Anna, die Gitarre und das Surfbrett! Interessant!

4 Was sagen Anna und Laura? Ordne zu.

super ☺ × ~~cool~~ ☺ × blöd ☹ × interessant ☺ × hm, ja 😐 × süß ☺

	Lampe	Sessel	Junge	Gitarre und Surfbrett
Laura	(cool)	?	?	?
Anna		?	?	

5a Schau die Bilder und Wörter an.

Gitarre

Surfbrett

Sessel

Foto

Sporttasche

Junge

Rucksack

Lampe

Fahrrad

T-Shirt

Fußball

Mädchen

b Was passt zusammen? Schreib wie im Beispiel.

der	das	die
? ?	? ?	(Gitarre)
? ?	? ?	?
	?	?

> Schreib die Wörter in den Artikelfarben auf. So kannst du dir den Artikel besser merken.

c Hör zu und kontrolliere.

25 🔊

d Hör noch einmal und sprich nach.

26 🔊

→ AB, GRAMMATIK, Ü 2 ▌

6 Zeigt auf ein Bild in 5a und spielt Dialoge.

▲ Schau mal, | der ... das ... die ... | ist | cool. ☺ / super. ☺ / süß. ☺ / toll. ☺ / interessant. ☺ / blöd. ☹

◆ Ja. ☺ / Hm, ja. 😐 / Nein. ☹

bestimmter Artikel
der Junge
das Foto
die Gitarre

▲ Schau mal, der Fußball ist toll.
◆ Ja.

→ AB, Ü 3 ▌

7a Lies und hör zu. Welchen Dialog hörst du?

27))

a ● Wer ist der Junge?
◆ Keine Ahnung.

b ● Wer ist das Mädchen?
◆ Das ist Laura.

b Zeigt auf ein Bild und spielt Dialoge wie in 7a.

 Ⓐ

 Ⓑ

 Ⓒ

 Ⓓ

 Ⓔ

→ AB, Ü 4–5 |

8a Schau das Bild an. Hör dann zu und antworte.

28))

● Wer ist der Junge?
● Wer spielt Gitarre?

Schau zuerst die Bilder an.
So verstehst du die Situation.

b Hör noch einmal und lies mit.

28))

Laura: Hallo!
Nico: Hi!
Laura: Wer bist du?
Nico: Nico. Und du? Wie heißt du?
Laura: Ich heiße Laura.
Anna: Und ich bin Anna. Hallo!
Laura: Woher kommst du?
Nico: Aus Rostock.
Laura: Ah!
Nico: Na, dann bis bald!
Anna: Tschüss, Nico!
Laura: Äh, Nico?
Nico: Ja?
Laura: Du spielst Gitarre. Oder?
Nico: Ja, klar!
Laura: Super! Tschüss!

9a Was sagen Laura, Nico und Anna? Ergänze den Dialog.

 Wer bist du?

(?). Und du? (?) (?) (?)?

Ich (?) (?).

Und ich (?) (?). (?)!

b Spielt den Dialog zu dritt mit euren Namen.

10 Ergänze die Fragen.

1. ● (?) (?) (?)? / (?) (?) (?)?   2. ● (?) (?) (?)?

  ◆ Leonie. / Ich heiße Leonie. / Ich bin Leonie.   ◆ Aus Hamburg.

11 Hör zu und sprich nach.

29-31 ◀))   (→) AB, Ü 6–7 ┃

Achte auf die Satzmelodie.

12 Macht eine Kettenübung.

■ Ich bin ... Ich komme aus ... Und du? Wer bist du? Woher kommst du?
  ▲ Ich heiße ... Ich komme aus ... Und du? W...? W...?
    ● Ich ... Und du? ...

Verben		
ich **komm**e	ich **heiß**e	ich **bin**
du **komm**st	du **heiß**t	du **bist**

13a Schreibt die Wörter auf Kärtchen.

Gitarre   Saxofon   Tennis   Monopoly®   Fußball   Volleyball

b Spiel mit deiner Partnerin / deinem Partner. Rate.

Nein.

Du spielst Gitarre.

Ja. Ich spiele Tennis.

Du spielst Tennis.

Verben
ich **spiel**e
du **spiel**st

(→) AB, GRAMMATIK, Ü 8   Ü 9   SCHREIBTRAINING, Ü 10–12   Ü 13 ┃

2
LEKTION

LAURA IST DIE NUMMER 1

Laura Kobell, Platz 1 (Mädchen)

Max Berger, Platz 3 (Jungen)

Hipp hipp hurra! Das Max-Planck-Gymnasium gewinnt bei »München klettert«: Laura Kobell (Klasse 7b) ist auf Platz 1, Max Berger (Klasse 8b) ist auf Platz 3. Laura ist 12. Sie klettert und spielt Fußball. Und sie singt gern. Auch Max Berger (13) macht viel Sport: Er spielt Fußball, Tennis und Basketball ... und er klettert natürlich.

Sport, Sport, Sport. Und was noch? *Hier ist das Interview mit Laura.*

Der Spickzettel: Laura, du kletterst gern.
Laura: Richtig.

1a **Lies den Text. Was ist das Thema?**

Schau die Fotos zum Text an.
So erkennst du gleich das Thema.

a Musik b Sport c Mode

b **Lies den Text noch einmal. Ist das richtig ⓡ oder falsch ⓕ ?**

Laura
1. Sie ist 12. Ⓧ ⓕ
2. Sie klettert.   ⓡ ⓕ
3. Sie spielt Tennis. ⓡ ⓕ
4. Sie singt.  ⓡ ⓕ

Max
1. Er ist 12. ⓡ ⓕ
2. Er spielt Tennis. ⓡ ⓕ
3. Er spielt Fußball. ⓡ ⓕ
4. Er ist auf Platz 3 im Fußball. ⓡ ⓕ

c **Hör zu und kontrolliere.**

32-33 🔊

d **Hör noch einmal und sprich nach.**

34-35 🔊

2 **Was machen die Personen? Hör zu und antworte.**

36 🔊

1.   2.   3.   4.   5.   6.

Verben	
er / sie	klettert
🚶 🧗	spielt
	singt
	ist

1. Was macht Max? ◆ Er spielt Tennis.

→ AB, Ü 1–2 GRAMMATIK, Ü 3 Ü 4 ▌

3a Wer ist das? Welchen Sport macht sie/er? Schreib wie im Beispiel.

Karate machen × ~~Hockey spielen~~ × tauchen × surfen × schwimmen

Oliver   Martin   Nina   Thomas   Simone

A: Das ist Oliver. Er spielt Hockey.

b Hör zu und kontrolliere.

37))

c Hör noch einmal und sprich nach.

38))

4 Zeichnet und ratet.

Nein.

Ja.

Er schwimmt.

Sie macht Karate.

→ AB, Ü 5–6

5a Lies das Interview. Was macht Laura gern ☺? Was macht sie nicht gern ☹?

		gern	nicht gern
Der Spickzettel: Laura, du kletterst gern.			
Laura: Richtig!	1. klettern	☺	☹
Der Spickzettel: Und andere Hobbys?	2. singen	☺	☹
Laura: Ich singe gern und ich spiele gern Fußball.	3. Fußball spielen	☺	☹
Der Spickzettel: Und die Schule? Bist du da auch die Nummer eins?	4. Mathe machen	☺	☹
Laura: Hm … die Schule ist okay. Nur Mathe mache ich nicht gern. Ich bin eine Null in Mathematik.			

b Vergleicht die Ergebnisse.

Sie klettert	gern.	
Sie spielt	gern	Fußball.
	nicht gern	…

c Hör nun das Interview in 5a und lies mit.

39))

6 Lies das Beispiel und schreib dann über deine Freundin / deinen Freund.

(→) AB, SCHREIBTRAINING, Ü 7–8 ▮

Das ist Laura. Sie ist 12. Laura klettert gern und spielt gern Fußball. Sie macht nicht gern Mathe.

7 Spielt Dialoge.

● Was machst du gern?
◆ Ich ...
● ⎡ Ich auch. ☺
  ⎣ Ich nicht. ☹

(→) AB, Ü 9   GRAMMATIK, Ü 10   Ü 11 ▮

Position 2				
W-Frage	Was	machst	du	gern	?
Aussagesatz	Ich	spiele	gern	Fußball	.

8 Was machen die Personen gern / nicht gern? Sprich mit deiner Partnerin / deinem Partner. (Arbeitsbuch: **A** = Seite 82 und **B** = Seite 84)

9 Schreib zwei Kärtchen mit Fragewörtern. Spielt dann das Interviewspiel.

Wie ...?

Wer ...?

Woher ...?

Was ...?

Woher kommst du?   Ich ...

Woher ...?

10a Schau das Bild an und antworte in deiner Sprache.

• Wohin geht Nico gerade?
• Was möchten Anna und Laura machen?

b Hör zu. Was schlägt Nico vor?

40 ⧪)

ⓐ Hockey spielen   ⓓ schwimmen
ⓑ Fußball spielen   ⓔ Volleyball spielen
ⓒ klettern   ⓕ Karate machen

> Lies zuerst die Aufgaben und hör dann zu. Achte auf die Informationen, die du für die Aufgabe brauchst.

c Hör noch einmal. Was machen Nico, Laura und Anna zusammen?

40 ⧪)

ⓐ Fußball spielen   ⓑ klettern   ⓒ — (nichts)

11 **Lest den Dialog zu dritt. Spielt dann andere Dialoge.**

◆ Was macht ihr heute?
Spielen wir zusammen Volleyball?
▲ Nein, keine Lust.
◆ Spielt ihr vielleicht Fußball?
● Nein, wir klettern.

Was macht ihr heute?...

→ AB, GRAMMATIK, Ü 12   Ü 13–14 |

Verben	
wir spielen	wir klettern
ihr spielt	ihr klettert

12 **Spielt Pantomime.**

Ihr schwimmt.

Nein, falsch.

Ihr taucht.

Ja, wir tauchen.

13 **Mach das Quiz.**

BIST DU EIN SPORT-PROFI? WAS MACHT MAN BEI DIESEM SPORT?

Canyoning

Moderner Fünfkampf

Racketlon

1 a Surft er? Ja Nein
   b Klettert er? Ja Nein
   c Schwimmt er? Ja Nein

2 a Schwimmt sie? Ja Nein
   b Taucht sie? Ja Nein
   c Surft sie? Ja Nein

3 a Spielt er Tennis? Ja Nein
   b Spielt er Handball? Ja Nein
   c Spielt er Badminton? Ja Nein

Wie viele Antworten hast du richtig? 7–9: ☺ Super! Du bist ein Sport-Profi. / 4–6: ☺ Das ist okay. / 1–3: ☹ Na ja.
1a Nein. / 1b Ja. / 1c Ja. / 2a Ja. / 2b Ja. / 2c Nein. / 3a Nein. / 3b Nein. / 3c Ja.

14a **Hör zu. Welche Frage ist das? Wie ist die Reihenfolge?**

41 🔊

? Spielt ihr Tennis?   1 Schwimmt ihr?   ? Spielt ihr Basketball?   ? Macht ihr Karate?

b **Summ eine Frage. Deine Partnerin / dein Partner rät.**

● Hm hm hm hm hm?
◆ Spielt ihr Fußball?
● Nein, falsch.
◆ Spielt ihr Volleyball?
● Ja, richtig.

→ AB, GRAMMATIK, Ü 15   Ü 16–18 |

Spielt ihr Volleyball?
Taucht ihr?
Macht ihr Karate?
Klettert ihr?
Spielt ihr Fußball?

Position 1		
Ja/Nein-Frage ●	Spielt er Tennis?	
◆	Ja.	
	Nein.	

3 LEKTION

Ⓐ

Ⓑ

Ⓒ

1a **Schau die Bilder an und lies die Texte. Was passt zusammen? Ordne zu.**

> Das sind Daniel und John.
> Sie sind Freunde. John wohnt in Sydney.
> Daniel ist jetzt auch in Australien, aber er
> wohnt in Melbourne.
> Hier hören sie zusammen Rockmusik.
> Na ja, und Daniel spielt Gitarre.
> ① ?

> Das ist Kati. ② ?
> Sie wohnt in Wien.
> Kati telefoniert gern.

> Das sind Anna und Simon. ③
> Sie sind so lustig! Hier trinken ?
> sie zusammen Ananassaft.

b **Wer macht was?**

> ... wohnt ... ✳ ... hören ... ✳ ... trinken ... ✳ ... telefoniert ... ✳ ... spielt ...

● John wohnt in ...

2 **Wer ist das? Was machen die Personen?**

Ⓓ  Ⓔ  Ⓕ  Ⓖ

| Das | ist | ... | Er/Sie | ... |
| | sind | ... | Sie | ... |

Verben

sie · machen
👤👤👤 · spielen
· sind

● Das ist Simon. Er spielt Gitarre.

→ AB, GRAMMATIK, Ü 1–2   Ü 3–4

3a Hör zu. Über welche Bilder in 1 und 2 sprechen Laura und Nico?

42 ⏺ (?) | (?) | (?) | (?)

b Hör noch einmal und ordne zu.

42 ⏺ 1. Wie heißen Lauras Freunde? (?) (?) (?)

2. Wie heißt Lauras Bruder? (?)

Kati × Daniel × Anna × Simon

c Ordne zu.

1. Wo wohnt Kati? (a) In Melbourne.

2. Wo wohnt John? (b) In Wien.

3. Wo ist Daniel? (c) In Sydney.

→ AB, Ü 5–6 |

4a Schau die Landkarte an. Hör zu und zeig mit.

43 ⏺

Wie heißen die Städte in deiner Sprache?

b Hör zu und sprich nach.

44 ⏺

c Spielt Dialoge.

◆ Wo ist Wien? ■ < Ich weiß nicht.
In Österreich natürlich. Ist doch klar!

Präposition in

Wo?

   in Wien

   in Deutschland

   in Österreich

   in Liechtenstein

 (!) in der Schweiz

→ AB, GRAMMATIK, Ü 7 Ü 8 |

3

5 **Spielt in zwei Gruppen.**

● Seid ihr in Spanien?

◆ Ja, wir sind in Spanien.

Nein, wir sind nicht in Spanien.

Singt ihr?

Nein, wir singen nicht.

Verben	Negation nicht	
wir sind	Ja, wir sind in Berlin.	Ja, wir singen.
ihr seid	Nein, wir sind nicht in Berlin.	Nein, wir singen nicht.

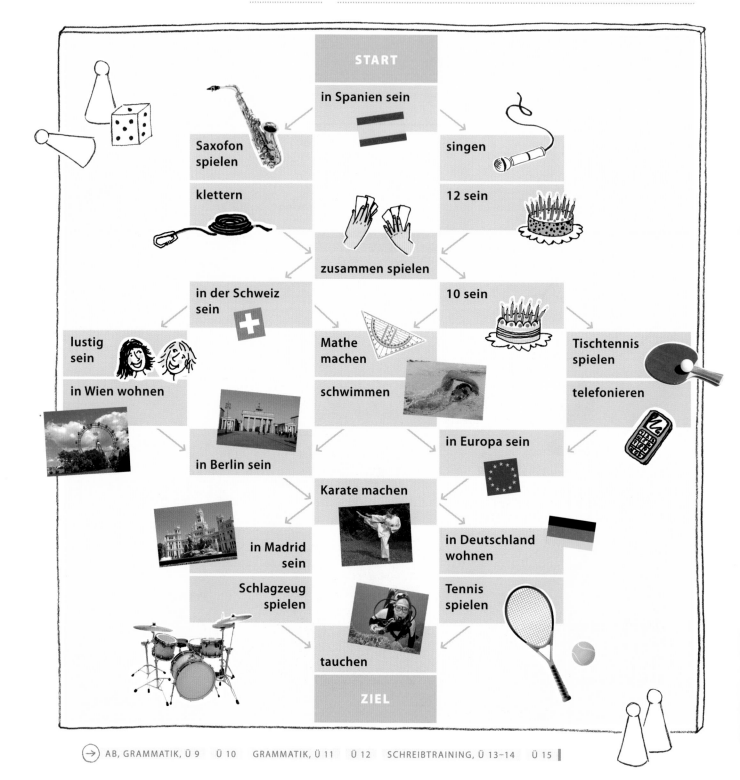

START

in Spanien sein

Saxofon spielen · singen

klettern · 12 sein

zusammen spielen

in der Schweiz sein · 10 sein

lustig sein · Mathe machen · Tischtennis spielen

in Wien wohnen · schwimmen · telefonieren

in Berlin sein · in Europa sein

Karate machen

in Madrid sein · in Deutschland wohnen

Schlagzeug spielen · Tennis spielen

tauchen

ZIEL

→ AB, GRAMMATIK, Ü 9   Ü 10   GRAMMATIK, Ü 11   Ü 12   SCHREIBTRAINING, Ü 13–14   Ü 15

6a **Hör das Lied und lies mit.**

45

Freunde

1

Hey, guten Tag, hallo,
na, wie geht es dir?
Alles klar und so?
Und, was machen wir?

Basketball, Volleyball,
Fußball, Fußball,
Toooooooor!
Oder lieber Klettern,
Tennis, Badminton,
Pingpong?

Freunde spielen zusammen,
Freunde hören Musik,
Freunde lachen zusammen,
Freunde geben den Kick[1].

2

Hey, guten Tag, hallo,
na, wie geht es dir?
Alles klar und so?
Und, was machen wir?

Gitarre, Schlagzeug, Saxofon,
so cool!
Hip-Hop oder Rock'n' Roll,
voll toll!

Freunde spielen zusammen,
Freunde machen Musik,
Freunde lachen zusammen,
Freunde geben den Kick.

3

Hey, guten Tag, hallo,
na, wie geht es dir?
Alles klar und so?
Und, was machen wir?

Kommst du aus Hamburg
oder Berlin,
aus Paris, Athen oder Wien,
aus Europa oder vom Mond?
Ein Freund ist ein Freund,
wo er auch wohnt.

Freunde spielen zusammen,
Freunde lieben Musik,
Freunde lachen zusammen,
Freunde geben den Kick.

[1] Freunde sind super.

Deutsch Musik

Hörst du Lieder auf Deutsch?

b **Welche Bilder passen zum Lied?**

(A)

(C)

(B)

(D)

c **Was machst du mit deinen Freunden zusammen?**

→ AB, Ü 16–18

Hallo, wir sprechen Deutsch!

1 **Lies die Texte und ergänze die Karten unten.**

Hallo, ich bin Nele. Ich wohne in Berlin. Das ist die Hauptstadt von Deutschland. Meine Schule heißt Humboldt-Gymnasium. Schau einfach mal im Internet. Ich spiele Tischtennis und telefoniere gern. In Berlin ist das Brandenburger Tor. Kennst du das?

Hoi, ich bin Paul. Ich komme aus Liechtenstein. Das Land ist sehr klein, es hat nur 36.000 Einwohner. Ich liebe Sprachen und Mathematik. Wir haben ein Schloss in Vaduz, aber da wohne ich natürlich nicht. Du kannst mir eine E-Mail schreiben: paul12vaduz@llv.li

Berlin

Wien

Gruezi, ich bin der Urs aus der Schweiz. Ich bin elf und wohne in Bern. Hier in Bern sprechen wir Deutsch und Französisch. Bilder von Bern gibt es hier: www.bern.ch Ich mache gern Sport: Skifahren im Winter und im Sommer Mountainbike fahren. In der Schweiz haben wir viele Berge, zum Beispiel das Matterhorn.

Bern
Vaduz

Servus, ich bin Anne und das ist meine Freundin Alessa. Sie ist sehr lustig. Wir wohnen in Wien, das ist die Hauptstadt von Österreich. Kennst du Mozart? Er ist auch Österreicher. In Österreich sprechen wir Deutsch. Alessa und ich machen gern Musik: Alessa spielt Gitarre, ich spiele Saxofon.

Österreich	
Hauptstadt:	?
Einwohner:	8 Millionen
Sprache:	?
Kennzeichen:	(A)*
Internet:	.at

*Austria = Österreich

Deutschland	
Hauptstadt:	?
Einwohner:	81 Millionen
Sprache:	?
Kennzeichen:	(D)
Internet:	.de

Schweiz	
Hauptstadt:	Bern
Einwohner:	7 Millionen
Sprachen:	? ?,
	Italienisch, Rätoromanisch
Kennzeichen:	(CH)*
Internet:	?

* Confoederatio Helvetia

Liechtenstein	
Hauptstadt:	Vaduz
Einwohner:	?
Sprache:	Deutsch
Kennzeichen:	(FL)*
Internet:	?

*Fürstentum Liechtenstein

2 **Schau die Bilder an und lies die Texte noch einmal. Welches Land passt?**

 (A) ?
 (B) ?
 (C) ?
 (D) ?

3 **Wie heißen die deutschsprachigen Länder in deiner Sprache?**

Das ist mein Land!

1a Macht ein Plakat über euch und euer Land. Zeichnet eine Karte und tragt einige Städte ein.
Ihr könnt auch die deutschen Namen für die Städte dazuschreiben.

b Zeichnet oder klebt Bilder mit typischen Dingen auf die Karte.

2a Schreibt kurze Texte über euch.
Antwortet auf die Fragen.

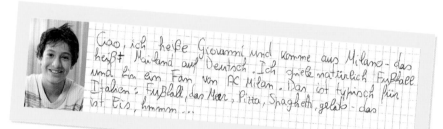

- Wie heißt du?
- Woher kommst du?
- Wo wohnst du?
- Was machst du gern?
- Was ist typisch für dein Land
  oder für deine Stadt?

b Schneidet die Texte aus und klebt sie zusammen mit einem Foto auf die Karte.

3 Präsentiert euer Plakat.

Laura

Auf einen Blick

Grammatik

Verben

	spielen	heißen	klettern	sein
ich	spiele	heiße	klettere	bin
du	spielst	heißt	kletterst	bist
er/sie	spielt	heißt	klettert	ist
wir	spielen	heißen	klettern	sind
ihr	spielt	heißt	klettert	seid
sie	spielen	heißen	klettern	sind
	auch so: kommen			

du heißt
- - - - - - - - -
wir klettern
sie klettern

Das ist Laura.

Das sind Laura und Anna.

Nomen und Artikel: bestimmter Artikel im Nominativ

Singular	maskulin	der Sessel
	neutral	das Surfbrett
	feminin	die Lampe

der Sessel

das Surfbrett

die Lampe

Personalpronomen

du, ich, er, sie, wir, ihr, sie

Syntax

	Position 1	Position 2		
Aussagesatz	Ich	spiele	gern	Fußball.
W-Frage	Was	machst	du	gern?
Ja/Nein-Frage	Spielst	du	gern	Fußball?

Wer? Wie? Was? Wo? Woher? Wohin?

Negation

Wohnt Laura in Berlin?
Nein, sie wohnt nicht in Berlin.

Spielt ihr Tennis?
Nein, wir spielen nicht Tennis.

Nico ist nicht süß.

Ich komme aus Rostock. Ich wohne in München.

Präpositionen

Woher kommst du?
Aus Rostock.

Wo wohnst du?
In München.

Wo ist Wien / ...?
In Österreich / Deutschland.
(!) In der Schweiz.

Ich kann ...

jemanden begrüßen:
Hallo! / Hi! / Guten Tag.

mich verabschieden:
Tschüss! / Na, dann bis bald.

meine Meinung sagen:
Der Junge ist süß.
Der Sessel ist cool / super /
toll / blöd / interessant.

jemanden vorstellen:
■ Wer ist der Junge / das Mädchen?
▲ Das ist ...
Das ist ... Er/Sie ist 12. Er/Sie klettert /
spielt / ... gern ...
Das sind ... und ... Sie sind Freunde.

nach dem Namen fragen und mich vorstellen:
■ Wie heißt du? / Wer bist du?
▲ Ich heiße ... / Ich bin ...

die Herkunft nennen:
■ Woher kommst du? ▲ Ich komme aus ...

den Wohnort nennen:
■ Wo wohnst du? ▲ Ich wohne in ...

sagen, wo ein Ort ist:
■ Wo ist Wien? ▲ Wien ist in Österreich.

sagen, was ich mache:
Ich spiele Tennis.

sagen, was ich gern / nicht gern mache:
■ Was machst du gern?
♦ Ich spiele / klettere / ... gern.
▲ < ☺ Ich auch.
      ☹ Ich nicht.

einen Vorschlag machen, annehmen oder ablehnen:
■ Was macht ihr heute? Spielen wir ...?
▲ < ☺ Ja, gern.
      ☹ Nein, keine Lust.

sagen, was ich mit meinen Freunden mache:
Wir spielen zusammen Volleyball.

jemanden fragen, wie es ihm geht:
Wie geht es dir?

sagen, dass ich etwas nicht weiß:
■ Wo ist Graz? ▲ Ich weiß nicht.

Wiederholung

Bingo

?	?	?
?	?	?
?	?	?

Lektion 1

1a Mal ein Bingo-Feld. Schau dann die Bilder auf Seite 13 an und wähle neun Wörter aus. Schreib sie mit Artikel ins Bingo-Feld.

b Deine Lehrerin / Dein Lehrer liest Wörter vor. Hör zu und streich deine Wörter durch. Wenn du alle Wörter durchgestrichen hast, ruf „Bingo".

c Spielt nun in der Gruppe weiter Bingo.

2 Schaut das Bild an. Schreibt zu zweit einen Dialog. Spielt ihn dann vor.

● Hallo.

◆ ?

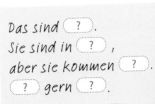

Lektion 2

1 Ergänze Sportarten.

S CHWIMMEN
TENNIS S P IELEN
? O ?
? R ?
? T ?

?	K	?
?	A	?
?	R	?
?	A	?
?	T	?
?	E	?

2 Schaut das Bild an. Schreibt zu dritt einen Dialog. Spielt ihn dann vor.

NICO: Hallo.
Max: Hi. Wer bist du?
NICO: Ich ? Was macht ihr?
Laura: ?

Lektion 3

1 Schaut das Foto an. Schreibt zu zweit. Was glaubt ihr?

- Wer sind sie?
- Wo sind sie?
- Woher kommen sie?
- Was machen sie gern?

Das sind ? .
Sie sind in ? ,
aber sie kommen ? .
? gern ? .

2 Bring ein Foto von deiner Freundin / deinem Freund mit. Erzähle.

- Wie heißt sie/er?
- Was macht ihr zusammen?

Simon

„Hallo, ich bin Lilly . Ich bin 6. Und das ist

mein Bruder Simon . Er ist 12. Simon spielt gern

Computer und er ist super in Informatik .

Simon spricht sehr gut Englisch und Deutsch , aber er

⁵ hasst Französisch . Er liebt die Serie „Planet Prana" und das Raumschiff

von Kapitän Kork. Er hasst Sport (klettern oder Fußball spielen).

Aber er ist ein Fan von Manchester United. Manchmal spielen wir zusammen

Tischtennis . (Simon findet Tischtennis ☹ blöd, ich finde Tischtennis ☺ super!)

Simon spielt gern Gitarre, aber er übt nicht gern. Und Simon hat keine Lust

¹⁰ auf Theater spielen . Ich finde Simon toll, er findet mich manchmal *doof* ."

---

1 Wer ist Simon? Wer ist Lilly? Lies Zeile 1–2.

2 Was mag Simon gern? Was mag er nicht gern?
Lies Lillys Text und ordne zu.

| Fußball spielen × ~~Informatik~~ × klettern × Deutsch × Englisch × Planet Prana |
| Französisch × Manchester United × Computer spielen × Theater spielen |
| Raumschiff von Kapitän Kork × Gitarre spielen × Tischtennis × Gitarre üben |

☺	☹
Informatik	...

Lernziele

seine Meinung sagen ● über Sprachkenntnisse sprechen ● über den Wochenplan / Stundenplan sprechen
● etwas / jemanden benennen ● einen Wunsch ausdrücken ● sich verabreden ● Zeitangaben machen
● einen Vorschlag machen / annehmen / ablehnen ● auf Fragen positiv oder negativ antworten

Simon liebt Informatik.

Informatik finde ich toll!!!

Oh nein! Zwei Stunden Sport.

Klasse 7b				
Montag	**Dienstag**	**Mittwoch**	**Donnerstag**	**Freitag**
Französisch	Französisch	Informatik ☺	Mathematik	Biologie
Musik	Physik	Informatik	Mathematik	Kunst
Deutsch	Deutsch	Mathematik	Französisch	Englisch
Deutsch	Biologie	Sport	Physik	Englisch
Geschichte	Geografie	Sport	Deutsch ☺	Religion/Ethik
Geografie	Mathematik	Geschichte	Musik	Französisch
Englisch		Englisch ☺		
Kunst		Religion/Ethik		

Kennst du diese Wörter schon aus deiner Sprache oder aus dem Englischen?

1a Schau Simons Stundenplan an. Was verstehst du?

b Hör zu. Welcher Wochentag ist das?

46 •))

c Hör zu und sprich nach.

47 •))

2 Schreib deinen Stundenplan und vergleiche mit Simons Stundenplan.

Montag	Dienstag	Mittwoch	Donnerstag	Freitag
?	?	?	?	?

▲ ← Simon hat ...
Simon hat ...
Simon hat zwei Stunden ...

● ← Ich auch.
Ich nicht. Ich habe ...
Ich habe eine Stunde / drei Stunden / ...

→ AB, Ü 1–5

3 **Wie findet Simon seine Fächer?**
Spielt Dialoge.

toll 🙂	okay 😐	total blöd 🙁
interessant	ganz gut	langweilig
cool		doof

◆ Wie findet Simon Sport?
● Sport findet er …

4a **Zeichne in deinen Stundenplan**
Symbole wie Simon.

Sport 🙂
Mathematik ⇩

b **Macht eine Kettenübung.**

● Wie findest du Sport?
▲ Sport finde ich cool. Wie findest du Mathematik?
◆ Mathematik finde ich total blöd. Wie findest du …?

→ AB, Ü 6   GRAMMATIK, Ü 7   Ü 8   SCHREIBTRAINING, Ü 9   Ü 10 ▌

Aussagesatz
     Position 2

Ich	finde	Sport	cool.

Sport	finde	ich	cool.

5a **Schau das Bild an und antworte**
in deiner Sprache.

• Wen siehst du?
• Wer kennt wen?
• Was meinst du?
  Worüber sprechen die drei?

b **Hör den Dialog und ergänze:**
Laura, Simon oder Nico.

48 🔊

1. (?) findet Informatik toll.
2. (?) und (?) finden Sport cool.
3. (?) findet Informatik ganz gut.
4. (?) hasst Sport.
5. (?) liebt Fußball.
6. (?) ist der Computer-Spezialist.

→ AB, GRAMMATIK, Ü 11   Ü 12 ▌

Verb finden

ich	finde
du	findest
er/sie	findet
wir	finden
ihr	findet
sie	finden

c **Hör noch einmal:**
Was passt?

48 🔊

6 **Was lieben Laura und ihre Freunde, was hassen sie? Sprich mit deiner Partnerin / deinem**
Partner. (Arbeitsbuch: A = Seite 82 und B = Seite 84)

4

7a Lies die Anzeige rechts:
Welche Wörter verstehst du?

b Antworte in deiner Sprache.

• Worum geht es in der Anzeige?
• Wer kann mitmachen?

WE WANT YOU!

NEU: Englische Theatergruppe
spielt: „The holiday ghost"

Sprichst du Englisch?
Findest du Theaterspielen toll?
Bist du 10–14 Jahre alt?

WIR BRAUCHEN DICH!

Infos: www.maxplanck-gymnasium.de/theater-ag

8a Hör zu und lies mit.

49 🔊

Nico:	Englische Theatergruppe. Findest du das interessant?
Simon:	Nein, das finde ich nicht.
Nico:	Warum? Sprichst du nicht so gut Englisch?
Simon:	Doch. Aber ich spiele nicht gern Theater.
Nico:	Nein? Theater finde ich cool, aber Englisch, puh!
Simon:	Ach, Englisch ist doch einfach!
Nico:	Findest du wirklich?
Laura:	Für Simon ist Englisch schon einfach. Simons Vater kommt aus England und Simon spricht sehr gut Englisch.
Nico:	Ach!

b Beantworte die Fragen.

1. Findet Simon die Theatergruppe interessant?   (?) Ja.   (X) Nein.
2. Spricht Simon nicht gut Englisch?   (?) Doch.   (?) Nein.
3. Spielt Simon nicht gern Theater?   (?) Doch.   (?) Nein.
4. Findet Nico Theater gut?   (?) Ja.   (?) Nein.
5. Liebt Nico Englisch?   (?) Ja.   (?) Nein.
6. Kommt Simons Vater nicht aus England?   (?) Doch.   (?) Nein.

> *Antwort mit* doch
>
> Spricht Simon gut Englisch?
> 🙂 Ja.   ☹ Nein.
>
> Spricht Simon nicht gut Englisch?
> 🙂 Doch.   ☹ Nein.

(→) AB, GRAMMATIK, Ü 13   Ü 14 ❙

9a Welche Sprache ist das? Was glaubst du?

> Chinesisch ✕ Griechisch ✕ Englisch ✕ Deutsch ✕ Spanisch
> Französisch ✕ Russisch ✕ Italienisch ✕ Türkisch

1. eins, zwei, drei   (?)   4. один, два, три   (?)   7. one, two, three   (?)
2. un, deux, trois   (?)   5. yī, èr, sān   (?)   8. uno, due, tre   (?)
3. uno, dos, tres   (?)   6. bir, iki, üç   (?)   9. ένα, δύο, τρία   (?)

b Hör zu und kontrolliere.

50 🔊

10a **Was sagt Laura? Was sagt Simon? Ordne zu.**

(?) Ich spreche sehr gut Englisch.
Sprichst du nicht gut Englisch?

(?) Er spricht sehr gut Englisch.

b **Spielt Dialoge.**

● Ich spreche sehr gut ... Sprichst du nicht ...?

◆ ← Doch, natürlich. ☺
Nein, nicht so gut. 😐
Nein, kein Wort. ☹

> *Verb* sprechen
>
> | | |
> |---|---|
> | ich | spreche |
> | du | sprichst |
> | er/sie | spricht |

c **Zeichnet und schreibt einen Albtraum-Comic.**

(→) AB, Ü 15–16   GRAMMATIK, Ü 17   Ü 18 ▍

11a **Was hat Simon am Montag, am Dienstag ...?**

Super!
Am Sonntag spielt
Manchester United.

Montag	Dienstag	Mittwoch	Donnerstag	Freitag	Samstag	Sonntag
Schwimmen	Gitarre	Informatik	frei	Gitarre	frei	

> *Präposition* am
>
> am Montag
> am Dienstag

◆ Am Montag hat Simon ...

b **Schreib eine Liste mit deinen Freizeitaktivitäten.**

Montag: Klettern
Donnerstag: Volleyball
Freitag: Schlagzeug

c **Vergleiche mit deiner Partnerin / deinem Partner.**

▲ Was hast du am Montag?

◆ Am Montag habe ich │ Klettern. │ Und du?
                      │ frei.   │

> *Verb* haben
>
> | | |
> |---|---|
> | ich | habe |
> | du | hast |
> | er/sie | hat |

(→) AB, Ü 19   GRAMMATIK, Ü 20   Ü 21 ▍

Ich brauche einen Kuli.

1a Schau das Bild an und hör zu.

51 🔊

b Lies das Programm rechts.
Was sehen Simon und Lilly?

SaTURn 1 TV

14:00	Bernd & Freunde	*Zeichentrickserie*
14:30	Mathe-Profis	*Diskussion*
15:15	3-2-1 … Das Ali-Quiz	
16:30	Planet Prana	*Science-Fiction*
17:30	Dragon Marvi	*Musical*

2a Hör zu und lies mit.

52 🔊

Lilly:	Simon, was ist das?
Simon:	Ein Flugzeug natürlich.
Lilly:	Und was ist das?
Simon:	Ein Raumschiff.
Lilly:	Ein Schiff?
Simon:	Ein Raumschiff. Ein Raumschiff fliegt …
	oder „schwimmt" im Weltraum.
Lilly:	Hm, Weltraum? … Und das, ist das ein Mann?
Simon:	Ja, klar, der Kapitän.
Lilly:	Und wer ist das? Ist das eine Frau?
Simon:	Ja. Das ist die Prinzessin, Prinzessin Caralinga.
Lilly:	Was? Eine Prinzessin? Simon!
	Was macht die Prinzessin da?
Simon:	Pssst, Lilly! Es geht los.
	Und der Film ist ab 12.
	Also tschüss!

(A)

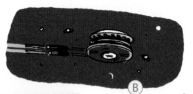
(B)

(C)

(D)

b Hör noch einmal und zeig auf den Bildern mit.

52 🔊

3 Schaut die Bilder in 2a an. Fragt und antwortet.

ein Mann × ~~ein Flugzeug~~ × ein Raumschiff × der Kapitän × eine Frau × die Prinzessin

- Bild A: Was ist das?
- Das ist ein Flugzeug.

- Bild C: Wer ist das?
- Das ist (?), (?).

- Bild B: Was ist das?
- Das ist (?).

- Bild D: Wer ist das?
- Das ist (?), (?).

bestimmter Artikel	unbestimmter Artikel
der Mann	ein Mann
das Flugzeug	ein Flugzeug
die Frau	eine Frau

→ AB, GRAMMATIK, Ü 1 |

4 Was ist auf dem Bild? Sprich mit deiner Partnerin / deinem Partner.
(Arbeitsbuch: **A** = Seite 83 und **B** = Seite 85)

→ AB, Ü 2–3 |

5a Lies die Überschrift und schau die Bilder an. Antworte in deiner Sprache.

- Wo ist die Frau auf dem Foto?
- Was macht sie?
- Wie heißt ihr Job?

Die Stimme von Prinzessin Caralinga

Das ist Alexa Kuhlmann. Sie ist Synchronsprecherin. Alexas Job ist nie langweilig. „Alles ist interessant", meint sie. Hier spricht sie die Rolle von Prinzessin Caralinga im
5 Film „Planet Prana".

Sie ist von 9 bis 18 Uhr im Studio. Das ist anstrengend, aber auch toll. Sie liebt Science-Fiction und Fantasy. Und wie findet Alexa Prinzessin Caralinga? „Caralinga ist
10 interessant: Sie ist sehr mutig, intelligent und sehr schön", sagt Alexa. „Das bin ich nicht. Ich bin ganz normal."
Alexa wohnt in Berlin. Sie macht gern Sport, besonders Volleyball. Und sie spielt
15 Cello. Sie spricht Deutsch, Englisch und Schwedisch.
Alexa hat einen Traum: einmal die Stimme von Julia Roberts oder Angelina Jolie sein.

b Lies den Text. Was ist richtig? Lies vor.

1. Alexa ist Synchronsprecherin. Das findet sie langweilig / interessant .
2. Sie spricht / spielt die Rolle von Prinzessin Caralinga.
3. Alexa ist 9 / 18 Stunden im Studio.
4. Alexa findet Science-Fiction und Fantasy blöd / toll .
5. Sie findet Prinzessin Caralinga super / ganz normal .
6. Alexa wohnt in Deutschland / Schweden .
7. Sie hasst Sport / spielt gern Volleyball .
8. Sie hört / macht gern Musik.
9. Alexa spricht drei / vier Sprachen.

6   Schau die Bilder A bis C (S. 37) an: Was passiert hier? Was glaubst du?
Antworte in deiner Sprache.

7a   Schau den Prospekt rechts an.
Hör dann zu und zeig mit.

53))

b   Hör zu und sprich nach. Schreib dann
die Nomen in blau, grün und rot auf.

54))

der Spitzer,

c   Hör noch einmal und kontrolliere.

55)) → AB, Ü 4–5 ▮

8a   Schau noch einmal Bild B an.
Hör dann zu und lies mit.

56))

Laura: Oh, schau mal, Simon …
Simon: Äh, ja?
Laura: Der Kuli ist cool, nicht?
Simon: Ich denke, du brauchst einen Füller
und ein …
Laura: Ja, stimmt. Ich brauche einen Füller.
Aber so einen Kuli möchte ich auch.
Die Prinzessin ist doch echt süß!
Schau mal …
Simon: Hm, na ja … Ach, warte mal!

Spitzer	Kuli	Radiergummi X
Füller X	Schere X	Lineal X
Heft X	Marker X	Block X
Bleistift	Sporttasche	SCHREIBWAREN SCHNEIDER

b   Was braucht Laura? Was möchte Laura?

Laura braucht einen (?).   Laura möchte einen (?).

c   Schau noch einmal den Prospekt an und antworte:
Was braucht Laura noch?

● Laura braucht einen … / ein … / eine …

→ AB, GRAMMATIK, Ü 6   Ü 7 ▮

Akkusativ: unbestimmter Artikel

Laura braucht	einen Füller.
	ein Heft.
	eine Schere.

Hey, wann kommst du endlich? Ich warte! Computerabteilung! Bastian

9 Schau die Bilder C und D an und lies die SMS. Antworte in deiner Sprache.

• Wo ist Bastian?   • Was meinst du? Was möchte Simon?

10a Schau die Situationen rechts an: Wie geht es weiter? a oder b?

b Hör weiter zu und vergleiche mit 10a.

57 (•))

So, jetzt haben wir alles.

11 Hör noch einmal. Was kauft Laura?

57 (•))

Laura kauft:
- a den Kuli
- b das Lineal
- c den Füller
- d den Bleistift
- e den Block
- f das Heft
- g die Schere
- h die Sporttasche

Akkusativ: bestimmter Artikel

Laura kauft	den Füller.
	das Heft.
	die Schere.

(→) AB, GRAMMATIK, Ü 8   Ü 9–10 |

12 Spiel mit deiner Partnerin / deinem Partner. (Arbeitsbuch: **A** = Seite 83 und **B** = Seite 85)

13 Ergänzt den Dialog und spielt ihn.

- • Schau mal, der Rucksack ist cool, nicht?
- ◆ Ich denke, du brauch ? ? Sporttasche?
- • Ja klar. Aber ich möcht ? auch so ? Rucksack!
  Also: Wie find ? du ? Rucksack?
- ◆ Hm, na ja. Was möcht ? du noch?
- • Ich brauch ? noch ? T-Shirt.
- ◆ O.k. Dann kauf ? wir auch noch ? T-Shirt.
  Und ich brauch ? ? Sessel!

Verb möchten		
ich		möchte
du	(!)	möchtest
er/sie		möchte
wir		möchten
ihr	(!)	möchtet
sie		möchten

(→) AB, Ü 11   GRAMMATIK, Ü 12 |

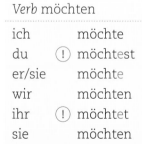

6
LEKTION

Hallo Laura, hier ist Simon.

1
58 🔊

Hör zu. Du hörst nur Simon.
Was möchte Simon mit Laura machen?

- a einen Film schauen
- b klettern
- c Biologie lernen

2a
59 🔊

Hör zu und lies mit. Du hörst nur Laura.
Wann hat Laura Zeit?

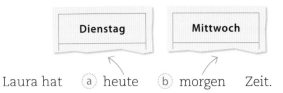

| Dienstag | Mittwoch |

Laura hat a heute   b morgen Zeit.

Simon: Hallo Laura, hier ist Simon.
Laura: Hi Simon.
Simon: Du, ich habe die *Planet Prana* DVD. Möchtest du kommen?
Laura: Ja, klar. Wann denn?
Simon: Na, heute. Jetzt. Hast du Zeit?
Laura: Heute? Oh, schade, das geht nicht. Ich muss noch Biologie lernen.

Simon: Hm, ich muss auch Bio lernen. Lernen wir zusammen?
Laura: Nein, tut mir leid. Ich habe keine Zeit. Ich möchte heute auch noch klettern.
Simon: Schade! Vielleicht morgen? Hast du morgen Zeit?
Laura: Mittwoch? Okay, das geht.
Simon: Super!
Laura: Wann? … Simon? Hallo! … Hallo? …

b **Was passt zusammen? Ordne zu.**

1. Simon möchte   a Bio lernen.
2. Laura muss   b auch Bio lernen.
3. Simon muss   c einen Film schauen.
4. Laura möchte   d heute klettern.

→ AB, Ü 1   GRAMMATIK, Ü 2–3   Ü 4

Sätze mit Modalverb

	Position 2		Ende	
Laura	muss	Biologie	lernen	.
Laura	möchte	heute	klettern	.

3 **Was müssen die Personen machen?**

Ⓐ

Ⓑ

Ⓒ

Ⓓ

üben   Englisch lernen   Mathe machen   Gitarre üben

Modalverb müssen

ich	!	muss
du		musst
er/sie	!	muss
wir		müssen
ihr		müsst
sie		müssen

◆ Laura und Max müssen üben.

→ AB, GRAMMATIK, Ü 5   Ü 6–7

4a Was sagt Simon? Was sagt Laura? Ergänze aus dem Dialog in 2a.

Lernen (?) (?)?

Oh (?), das (?) (?).

Nein, tut (?) (?).

Ich habe (?) (?).

Schade!

Hast du morgen (?)?

Okay, (?) (?).

Super!

b Hör zu und kontrolliere. Sprich nach.

60 ·))

5 Spielt Dialoge.

◆ Was machst du heute Nachmittag?
  … wir heute zusammen …?
  Hast du Zeit?

  Nein, ich habe keine Zeit. Ich muss …
● ← Oh schade, das geht nicht.
  Ich möchte …
  Nein, tut mir leid. Ich muss …

◆ Vielleicht morgen?

● Okay, das geht!

→ AB, Ü 8

6 Hör zu. Welche Tageszeit passt zu den Situationen 1–6?

61-66 ·))

Morgen ⨯ Vormittag ⨯ Mittag ⨯ ~~Nachmittag~~ ⨯ Abend ⨯ Nacht

Situation 1 (Nachmittag) 2 (?) 3 (?) 4 (?) 5 (?) 6 (?)

**7a Lies die SMS.
Wer schreibt an Laura?
Ordne zu.**

SMS von Nico (?)

SMS von Simon (?)

① Kommst du um halb drei? Ich habe um fünf Uhr Informatik. ☺

② Hi Laura, was machst du morgen? Hast du am Nachmittag Zeit?

Oh, blöd! Was mache ich denn jetzt? Mist!

**b Was ist das Problem?
Antworte in deiner Sprache.**

Simon

8a Lies die SMS von Laura und Nico. Was ist richtig?

Hallo Nico! Ich bin morgen bei Simon. Wir schauen Planet Prana. Kommst du auch?

Ja! Super! Wann?

Wir müssen um halb drei bei Simon sein.

Alles klar. Dann bis morgen.

ⓐ Laura und Nico sind morgen bei Simon.

ⓑ Nico ist morgen nicht bei Simon.

b Lies die SMS in 7a und 8a noch einmal und ergänze.

 1. Wann möchte Nico etwas mit Laura machen?
Morgen. ⬭?⬭ Nachmittag.

 2. Wann muss Laura bei Simon sein?
⬭?⬭ halb drei.

 3. Wann hat Simon Informatik?
⬭?⬭ ⬭?⬭ ⬭?⬭ .

Präpositionen am, um	
Tageszeit	am Nachmittag
	am Abend
	! in der Nacht
Uhrzeit	um halb drei
	um fünf (Uhr)

→ AB, Ü 9–12

9 Was machen sie wann?
Sprich mit deiner Partnerin / deinem Partner.
(Arbeitsbuch: Ⓐ = Seite 86 und Ⓑ = Seite 88)

10a Hör zu und lies mit.

67 ◂))

Mutter: Hast du nicht um fünf Gitarre?
Simon: Doch. Wie spät ist es denn jetzt?
Mutter: Es ist schon halb sechs.
Simon: Oh, Mist!

b Schreibt Kärtchen und spielt Dialoge wie in 10a.

Schwimmen: vier Uhr

→ AB, Ü 13–14

11a Schau die Bilder an und antworte.

Bild Ⓐ: Was denkt Simon?

ⓐ Das ist toll! Nico kommt auch.

ⓑ Das ist blöd! Warum kommt er auch?

Bild Ⓑ: Was denkt Laura?

ⓐ Hm, Simon ist sauer. Was mache ich jetzt?

ⓑ Ach schön! Simon und Nico sind Freunde.

b Was denkt Nico?
Antworte in deiner Sprache.

Hallo Laura! Hi Nico. Was machst du denn hier?

12a Hör zu und lies mit.

68

Laura: Können wir jetzt den Film schauen?
Simon: Ja, gleich.
Laura: Hallo! Was ist denn?
Kommt ihr jetzt endlich?
Nico: Das Spiel ist cool.
Möchtest du auch spielen, Laura?
Laura: Nein, ich habe keine Lust.
Kann ich Musik hören?
Simon: Ja, klar! Du kannst auch ein
Sudoku machen.
Laura: Na toll! Und wann kommt ihr endlich?
Nico: Ach Laura, wir sind gleich fertig.

b Ist das richtig Ⓡ oder falsch Ⓕ?

1. Laura möchte den Film schauen. Ⓧ Ⓕ
2. Laura möchte ein Computerspiel machen. Ⓡ Ⓕ
3. Laura kann Musik hören. Ⓡ Ⓕ
4. Laura kann ein Sudoku machen. Ⓡ Ⓕ

Modalverb können

ich Ⓘ kann
du kannst
er/sie Ⓘ kann

c Was kann Simon noch vorschlagen?
Und was antwortet Laura? Spielt Dialoge.

Ananassaft trinken ✳ allein den Film schauen
mit Anna telefonieren ✳ Englisch lernen mit Lilly ✳ Tischtennis spielen

Simon: Du kannst auch …

Laura: Au ja, super! ☺
Na toll!
Spinnst du?

Sätze mit Modalverb
Position 2 Ende
Du kannst auch ein Sudoku machen.

→ AB, GRAMMATIK, Ü 15 Ü 16–17

Landeskunde

Was machst du am Mittwoch um vier?

1 Vergleiche die Stundenpläne. Was ist anders?
Antworte in deiner Sprache.

A

	Mittwoch
8:00 – 8:45 Uhr	Deutsch
8:50 – 9:35 Uhr	Mathe
9:40 – 10:25 Uhr	Englisch
	Pause
10:45 – 11:30 Uhr	Physik
11:35 – 12:20 Uhr	Erdkunde
12:25 – 13:10 Uhr	Biologie

B

	Mittwoch
8:00 – 8:45 Uhr	Erdkunde
8:45 – 9:30 Uhr	Deutsch
	Pause
9:50 – 10:35 Uhr	Mathematik
10:35 – 11:20 Uhr	Mathematik
	Pause
11:40 – 12:25 Uhr	Physik
12:25 – 13:15 Uhr	Geschichte
	Mittagspause
14:15 – 15:00 Uhr	Lernzeit
15:00 – 15:45 Uhr	Musik
15:45 – 16:30 Uhr	Sport: Basketball

2 Lies die Interviews und ordne die Stundenpläne zu.

Zickzack
Das Magazin für Schule und Freizeit

NUR EINE FRAGE:
Was macht ihr am Mittwoch um vier Uhr?
Wir fragen Nicole und Thomas.

① ?

Zickzack: Nicole, was machst du am Mittwoch um vier?
Nicole: Am Mittwoch um vier? Basketball spielen.
Zickzack: In der Schule?
Nicole: Ja, genau.
Zickzack: Das heißt, du hast am Mittwoch auch am Nachmittag Schule?
Nicole: Ja. Ich habe jeden Tag bis halb fünf Schule. Das ist eine Ganztagsschule, am Nachmittag machen wir viel Sport … und Hausaufgaben.

Nicole

② ?

Zickzack: Thomas, was machst du am Mittwoch um vier?
Thomas: Am Mittwoch um vier? Da fahre ich Skateboard mit meinen Freunden.
Zickzack: Und die Schule?
Thomas: Am Mittwoch habe ich bis eins Schule, dann habe ich frei. Na ja, ich habe natürlich Hausaufgaben. Die mache ich am Abend.
Zickzack: Hast du jeden Nachmittag frei?
Thomas: Nein, wir haben am Montag und Donnerstag bis vier Uhr Schule.

Thomas

3a Und du? Was machst du am Nachmittag? Zickzack fragt, du antwortest.

Zickzack: (?) , was machst du am Mittwoch um vier?
Du: (?)
Zickzack: In der Schule?
Du: (?)

Zickzack: Wann hast du am Nachmittag Unterricht?
Du: (?)
Zickzack: Was macht ihr da?
Du: (?)

b Spielt das Interview.

4 Schule am Nachmittag? Was findest du gut? Was ist nicht gut? Antworte in deiner Sprache.

Das „Hit-Wort"

1 Sucht für zehn Buchstaben des deutschen Alphabets ein Wort.

A → April
B → Blau
R → Rucksack
S → (?)

2a Jede Gruppe wählt aus ihrer Sammlung das „Hit-Wort".

b Sammelt Bilder zum „Hit-Wort" eurer Gruppe und macht ein Plakat.

c Macht eine Plakatausstellung.

3 Wie findet ihr die „Hit-Wörter" der anderen?
Stimmt ab und wählt das „Hit-Wort" der Klasse.

- „Rucksack" finde ich auch lustig.
- „Rucksack"? Das finde ich doof!

★ ★ ★ ★ ★ Rucksack
★ ★ ★ ★
★ ★ ★
★ ★

! Auf einen Blick

Grammatik

Verben

	finden	haben	sprechen
ich	finde	habe	spreche
du	findest	hast	sprichst
er/sie	findet	hat	spricht
wir	finden	haben	sprechen
ihr	findet	habt	sprecht
sie	finden	haben	sprechen

	Modalverben		
	müssen	können	möchten
ich	muss	kann	möchte
du	musst	kannst	möchtest
er/sie	muss	kann	möchte
wir	müssen	können	möchten
ihr	müsst	könnt	möchtet
sie	müssen	können	möchten

*du findest
er/sie findet
ihr findet* / *du möchtest
er möchte
ihr möchtet* !

*du sprichst
er/sie spricht* / *du hast
er/sie hat*

*ich muss
du musst
er/sie muss* / *ich kann
du kannst
er/sie kann*

Nomen und Artikel: unbestimmter Artikel im Nominativ

Singular	*maskulin*	ein Mann
	neutral	ein Flugzeug
	feminin	eine Frau

Da ist ein Mann.

Klar, das ist der Kapitän.

Unbestimmter und bestimmter Artikel im Akkusativ

Singular			
	maskulin	*neutral*	*feminin*
Laura braucht	einen Füller.	ein Heft.	eine Schere.
Sie kauft	den Füller.	das Heft.	die Schere.

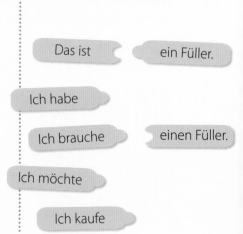

Das ist   ein Füller.

Ich habe

Ich brauche   einen Füller.

Ich möchte

Ich kaufe

Präpositionen

in der Nacht (!)

- Wann hast du Tennis?
- ◆ Am Montag.
- Am Nachmittag?
- ◆ Ja, um halb fünf.

Syntax: Sätze mit Modalverb

	Position 1	Position 2		Ende
W-Frage	Wann	möchtet	ihr	kommen?
Aussagesatz	Wir	müssen	Bio	lernen.
Ja/Nein-Frage	Könnt	ihr	jetzt	kommen?

Syntax: Subjekt und Verb im Aussagesatz

Position 1	Position 2		
Ich	finde	Sport	cool.
Mathematik	finde	ich	blöd.

Ich kann ...

meine Meinung sagen:
- ◆ Wie findest du Sport?
- ▲ Toll. / Interessant. / Cool. / Okay. / Ganz gut. / Total blöd. / Langweilig. / Doof.

über meine Sprachkenntnisse sprechen:
Ich spreche sehr gut Deutsch / Englisch / ...
Ich spreche nicht so gut ... / ...
Ich spreche kein Wort.

über meinen Wochenplan/Stundenplan sprechen:
- ▲ Was hast du am Montag?
- ● Am Montag habe ich Theater.

etwas / jemanden benennen:
- ◆ Was ist das? / Wer ist das?
- ◆ Das ist ein Flugzeug. / Das ist der Kapitän.

einen Wunsch ausdrücken:
Ich möchte den Kuli. /
Ich möchte den Film schauen.

mich verabreden:
- ▲ Was machst du heute Nachmittag? Lernen wir heute zusammen Bio? Hast du Zeit?

einen Vorschlag ablehnen oder annehmen:
- ● Nein, ich habe keine Zeit. Ich muss ... / ...
Oh schade, das geht nicht. Ich möchte ... / ...
Nein, tut mir leid. / Okay, das geht!
- ▲ Schade! / Super!

Zeitangaben machen:
- ● Wie spät ist es? ▲ Es ist halb vier.
- ● Wann kommt Miriam? ▲ Um fünf. / Am Nachmittag. / Am Donnerstag.

einen Vorschlag machen: Du kannst Musik hören.

positiv und negativ auf Fragen antworten:
- ◆ Sprichst du Englisch? ● Ja, ich spreche gut Englisch. / Nein, ich spreche nicht gut Englisch.
- ◆ Sprichst du nicht gut Englisch?
- ● Doch, ich spreche gut Englisch. / Nein, ich spreche nicht gut Englisch.

Wiederholung

Lektion 4

1 **Welche Sprachen sprechen sie?**

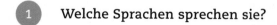

Tony   Caroline   Swetlana

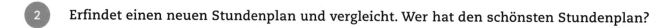

Rafael und Ana   Amélie   Teodoris und Nikos

- Tony spricht ...
- ◆ Rafael und Ana ...

2 **Erfindet einen neuen Stundenplan und vergleicht. Wer hat den schönsten Stundenplan?**

▲ Wir haben | eine Stunde ...
zwei Stunden ... | Und ihr? Was habt ihr?

- Wir haben ...
- ▲ Cool.

Lektion 5

1 **Zeigt auf ein Bild.**
Fragt und antwortet.

- Was/Wer ist das?
- ◆ Das ist ...

2 **Schaut das Bild an. Schreibt zu zweit einen Dialog.**
Spielt ihn dann vor.

◆ Was möchtest du, ? oder ?
▲ Ich möchte ? .

Lektion 6

1 **Zeigt auf eine Uhr. Fragt dann und antwortet.**

Ⓐ Ⓑ Ⓒ Ⓓ Ⓔ Ⓕ

14:30   17:00   20:30

- Wie spät ist es?   ◆ Wann spielst/machst ...?
- ◆ ...   ● Um ...

2 **Schreibt zu zweit einen Dialog am Telefon.**
Spielt ihn dann vor.

● Hallo, ?
▲ Hi, ? . Wir ? heute ? . Kommst du?
● Wann?

Anna

www.karateklub-pasing.de

(Willkommen) (Forum) (Mitglieder-Porträts)

MITGLIEDER-PORTRÄTS: Anna Becker

kk:	Hallo, Anna. Du bist neu im Karateklub Pasing, nicht? Wie alt bist du?
Anna:	Ich bin zwölf.
kk:	Du machst Karate. Warum?
Anna:	Ich finde Karate toll. Und meine Freundin Elena ist auch hier.
kk:	Hast du Geschwister?
Anna:	Ja, einen Bruder.
kk:	Macht er auch Karate?
Anna:	Nein. Er macht Breakdance.
kk:	Und du? Hast du noch andere Hobbys?
Anna:	Ich zeichne und ich liebe Comics. Ich habe viele Mangas aus Japan.
kk:	Kannst du denn Japanisch?
Anna:	Nein, ich lese die Mangas natürlich auf Deutsch. In der Schule lernen wir nur Englisch und Französisch.
kk:	Ach so, na klar! Na dann viel Spaß im Karateklub Pasing!
Anna:	Danke!

1 Lies den Text. Wer ist „kk"? Was glaubst du?

2 Ergänze den Steckbrief.

Name: (?)
Alter: (?)
Geschwister: (?)
Hobbys: (?), (Comics zeichnen)
Fremdsprachen: (?) (?)
Mitglied in: (?)

Lernziele

etwas benennen • über die Familie sprechen • über Berufe sprechen • jemanden beschreiben • etwas vermuten • sagen, was man gern / nicht gern mag • jemanden mit „Sie" ansprechen • höflich grüßen und sich verabschieden • nach dem Preis fragen • sich entschuldigen • einen Tagesablauf beschreiben • Zeitangaben machen • Überraschung ausdrücken

7 LEKTION

(A) (B) (C) (D)

1a **Schau die Bilder an. Hör zu und ordne zu. Wer ist das?**

69

(?) Das bin ich.

(?) Das sind mein Vater und mein Onkel.

(?) Das ist David, mein Bruder.

(?) Und das hier ist mein Opa.

b **Hör noch einmal. Was passt zusammen?**

69

1. Nico

2. Der Bruder

3. Der Opa

4. Anna

5. Niemand

(a) macht Judo.

(b) ist Architekt und zeichnet.

(c) möchte Wasser trinken.

(d) macht Karate.

(e) macht Breakdance.

2a **Meine Familie. Wer ist das? Ergänze.**

| meine Schwester ✕ meine Tante |
| meine Oma ✕ meine Mutter |
| mein Cousin ✕ ~~mein Opa~~ |

1.

(mein Opa) / Großvater   (?) / Großmutter

= meine Großeltern

2.

mein Onkel   (?)

3.

mein Vater   (?)

= meine Eltern

4.

(?)   meine Cousine

5.

(ich)   mein Bruder   (?)

= meine Geschwister

b **Hör zu und kontrolliere.**

70

c **Hör zu und sprich nach.**

71

(→) AB, Ü 1–3

3a Lies und ordne zu.

Und wie ist deine Familie?

Aber mein Bruder ist einfach super! ?

Meine Mutter nervt manchmal. ?

A

B

C

Mein Opa und mein Vater sind okay. ?

b Und deine Familie? Berichte.

Possessivartikel

mein Bruder
meine Mutter
meine Eltern

→ AB, GRAMMATIK, Ü 4   Ü 5–6

4 Zeichne. Dein Partner rät.

Ist das dein Vater?

Nein, das ist nicht mein Vater.

Ist das deine Tante?

Possessivartikel

ich	du
mein Vater	dein Vater
meine Tante	deine Tante

Ja, das ist meine Tante.

→ AB, Ü 7

5 Annas Familie: Wer ist das? Was ist sie/er von Beruf?

 A   B    C    D    E

Arzt   Lehrerin   Hausfrau   Koch   Architekt

▲ Annas Onkel ist Arzt.
● Annas Mutter ist …

Endung -in

der Architekt	die Architekt**in**
der Koch	die K**ö**ch**in**
der Lehrer	die Lehrer**in**
der Arzt	die **Ä**rzt**in**
(!) der Hausmann	die Hausfrau

→ AB, GRAMMATIK, Ü 8   Ü 9

6 Was sind sie von Beruf? Ordne zu und mach Sätze.

Trainer ✕ Sekretärin
Tänzerin ✕ Kapitän

Opa   Oma   Vater   Tante

Sandra   Lisa

A: Leons Opa ist ? .

Leon   Thomas

→ AB, GRAMMATIK, Ü 10   Ü 11

Genitiv bei Namen
Lisas Vater
Thomas' Tante

7 Sprich mit deiner Partnerin / deinem Partner über Julias Familie.
(Arbeitsbuch: Ⓐ = Seite 86 und Ⓑ = Seite 88)

8 Lies den Anfang des Artikels und beantworte die Fragen.

1. Wo ist das Master-Turnier?
2. Woher kommen die Breakdancer?
3. Woher kommt David Becker?

Breakdance-Elite in Berlin

Am 12. Mai ist es soweit: Breakdancer aus Deutschland, Österreich und aus der Schweiz, aus Polen, Spanien und Griechenland treffen sich in Berlin
5 zum Master-Turnier. Mit dabei ist David Becker, Top-Breakdancer aus München.

9 Was glaubst du: Woher kommt die Tänzerin / der Tänzer?

Russland ✕ Kenia ✕ China ✕ die Türkei ✕ die Schweiz ✕ Griechenland ✕ Spanien

   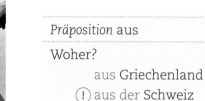

Präposition aus
Woher?
aus Griechenland
(!) aus der Schweiz

▲ Ich glaube, die Tänzerin / der Tänzer kommt aus …

→ AB, GRAMMATIK, Ü 12   Ü 13

Breakdancer müssen viel trainieren: Sie hören Musik, sie sehen Tanz-Videos, lernen Choreografien und üben, üben, üben. Was braucht ein Breakdancer? Viel Zeit und Energie.
10 Ein Tänzer muss Musik und Rhythmus lieben und er muss in Sport gut sein. Ist Breakdance Sport? „Sport und Kunst", sagt David Becker.
Und was braucht ein Breakdancer *nicht*? Fragen wir David: „David, was brauchst du *nicht* für deinen Sport?"
15 „Also, ich brauche keine Sporthalle, kein Theater, kein Stadion. Ich kann einfach auf der Straße tanzen. Ich brauche auch keinen Trainer. Ich lerne mit Videos."
Und was ist Davids Ziel? „Mein Ziel? Ich möchte natürlich gewinnen, klar! Aber egal: Ich kann in Berlin tanzen!
20 Und das ist einfach super."
Wir wünschen David viel Glück für das Turnier!

10a **Lies den Rest des Artikels und beantworte die Fragen.**

1. Wie trainiert ein Breakdancer?
2. Was ist Davids Ziel?

b **Lies den Artikel noch einmal. Braucht ein Breakdancer das?**

	ja	nein		ja	nein
1. Er braucht eine Sporthalle.	?	?	4. Er braucht einen Trainer.	?	?
2. Er braucht Zeit.	?	?	5. Er braucht ein Stadion.	?	?
3. Er braucht ein Theater.	?	?	6. Er braucht Energie.	?	?

c **Lies Zeile 14–18. Was braucht ein Breakdancer *nicht*?**

 A  B  C  D

A: Er braucht keinen / kein /keine (?).

→ AB, Ü 14–15

11 **Spielt Dialoge.**

Trainerin ✖ Stadion ✖ Sporttasche ✖ Bleistift ✖ Fahrrad
Text ✖ DVD ✖ Studio ✖ Radiergummi ✖ Lampe ✖ Fußball

 A  B  C  D

die Synchronsprecherin   die Fußballspielerin   der Architekt   der Lehrer

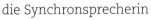

▲ Was braucht die Synchronsprecherin?
● Sie braucht einen / ein / eine …
▲ Was braucht sie nicht?
● Sie braucht keinen / kein / keine …

Akkusativ: Negativartikel kein

Er/Sie braucht	keinen Bleistift.
	kein Studio.
	keine Trainerin.

→ AB, GRAMMATIK, Ü 16–17   Ü 18

Trinken wir einen Karibik-Cocktail?

1a Lies die Wörter für Getränke. Hör dann zu und ergänze.

72))

Mineralwasser × Cola × Orangensaft × Tee × Spezi × Apfelsaft × Limo × Eistee
Kakao × Kaffee × Milch

1. Was möchten sie trinken?   Simon: (?)   Nico: (?)
2. Was ist Spezi?   (?) mit (?)

b Hör noch einmal.
Was möchten sie mixen?

72))

a) Spezi   b) Karibik-Cocktail

2 Hör zu und sing nach.

73))

Trinkst du Cola?

Nein, ich trink' Eistee.

Ich hab' Durst.

(→) AB, Ü 1–2

3 Macht eine Kettenübung.

● Möchtest du Eistee?
◆ Nein, Eistee mag ich nicht. Ich mag lieber Kakao. Möchtest du Kakao?
■ Nein, Kakao mag ich nicht. Ich mag lieber Spezi.

(→) AB, GRAMMATIK, Ü 3   Ü 4

Verb mögen	
ich	(!) mag
du	magst
er/sie	(!) mag

4a Schau die Bilder an und lies.
Was passt zusammen? Ordne zu.

(A) (B) (C)

Limonade   Bananenmilch   Karibik-Cocktail

1. ? 2. ? 3. ?   → AB, Ü 5–7

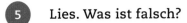

0,5 Liter Orangensaft
0,3 Liter Mangosaft
0,3 Liter Ananassaft
10 Eiswürfel

6 Zitronen
1 Liter Mineralwasser
Zucker
12 Eiswürfel

4 Bananen
0,8 Liter Milch
Zucker

b Erfindet Getränke und spielt Dialoge.

● Möchtest du ein Glas „Okami"?
◆ Was ist das denn?
● Orangensaft mit Kakao und Milch.
  ☺ Ja. Ich glaube, das schmeckt gut.
◆ ☹ Nein. Ich glaube, das schmeckt
     nicht gut.
  ☺ Ich weiß nicht …

5 Lies. Was ist falsch?

Orangensaft haben wir.
Und Eiswürfel. Aber
wir brauchen Mangosaft
und Ananassaft.

Simon, hast
du Geld?

5 Euro 50. Okay,
das ist genug für
den Saft.

a Sie haben genug Geld.
b Sie müssen Mangosaft
  und Ananassaft kaufen.
c Sie haben keine Eiswürfel.

6a Ergänze. Hör dann zu und kontrolliere.

74))

20	zwanzig	50	? zig	80	? zig
30	dreißig	60	sechzig	90	? zig
40	vierzig	70	siebzig	100	hundert

b Hör zu und sprich nach.

75))

7a Hör zu. Welche Zahl hörst du?

76))
1. 23 27   2. 34 36   3. 41 45   4. 65 68   5. 87 89

62
zweiundsechzig

b Hör zu und lies mit.

77))
24   32   45   57   61   73   86   98

→ AB, Ü 8–9

8 Spielt „Mehr oder weniger".

29

28?   50?   30?   29?

Mehr.   Weniger.   Weniger.   Richtig.

9a Hör zu und ergänze.

78 🔊

Ananassaft	1, ?	Euro
Mangosaft	2, ?	Euro
Kaugummi	0, ?	Euro
Summe	5,48	Euro

b Was sagt Anna (A)? Was sagt Frau Schmidt (S)? Hör noch einmal und ordne zu.

78 🔊

1. Guten Tag. Ⓐ
2. Hallo. ?
3. Haben Sie Ananassaft? ?
4. Ich möchte auch eine Flasche Mangosaft. ?

5. Möchtest du sonst noch etwas? ?
6. Auf Wiedersehen. ?
7. Tschüss. ?

> *Höflichkeitsform* Sie
>
> Haben Sie Ananassaft?

(→) AB, Ü 10–11 |

10 Wie viel kostet das? Schau die Bilder an und antworte.

 **1,50 €**   **10,45 €**   **0,90 €**   **2,38 €**   **1,72 €**

● Wie viel kostet der Apfelsaft?

◆ Einen / Zwei / … Euro …
   … Cent.

(→) AB, Ü 12–13 |

11 Spielt andere Dialoge. Ihr kauft ein oder ihr seid Frau Schmidt / Herr Wagner.

Anna:	Guten Tag, *Frau Schmidt* .
Frau Schmidt:	Hallo, *Anna* .
Anna:	Ich möchte *eine Flasche Ananassaft* .
Frau Schmidt:	Das macht *1,99* Euro.
Anna:	Hier, bitte.
Frau Schmidt:	Vielen Dank.
Anna:	Auf Wiedersehen, *Frau Schmidt* .
Frau Schmidt:	Tschüss, *Anna* .

eine Schokolade 1,20 €
eine Tüte Popcorn 1,80 €
einen Comic 2,95
eine Flasche Wasser 0,85 €
ein Eis 1,30 €
eine Tüte Chips 1,79 €
eine Zeitung 1,10 €

(→) AB, Ü 14–15 |

12 Was kaufst du im Kino? Schreib fürs Forum.

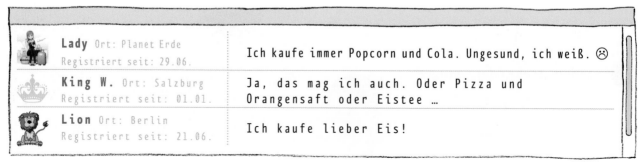

Lady Ort: Planet Erde Registriert seit: 29.06.	Ich kaufe immer Popcorn und Cola. Ungesund, ich weiß. ☹
King W. Ort: Salzburg Registriert seit: 01.01.	Ja, das mag ich auch. Oder Pizza und Orangensaft oder Eistee …
Lion Ort: Berlin Registriert seit: 21.06.	Ich kaufe lieber Eis!

13a Schau die Bilder an und lies die Texte. Wie ist die Reihenfolge?

Entschuldigung!

Hilfe! Meine Sachen!

A ?

Oh, was ist denn das? Wie heißt denn das?

B ?

So, jetzt noch ein bisschen Orangensaft.

C 1

Igitt, das schmeckt ja furchtbar!

Mmm, das schmeckt super.

D ?

Das tut mir leid.

Meine Hefte, meine Bücher. Alles nass!

Laura, du Kamel!

E ?

b Hör zu und kontrolliere.

79 🔊

c Spielt die Geschichte.

14 Was passt zusammen? Ordne zu.

 A   B   C   D    E   F

1. die Hefte ?   4. die Marker ?
2. die Bücher ?   5. die Blöcke ?
3. die Kulis ?   6. die Zeitungen ?

→ AB, GRAMMATIK, Ü 16–17

	Plural
	Plural
der Kuli	die Kulis
das Heft	die Hefte
die Zeitung	die Zeitungen

15 Spielt andere Dialoge.

● Hey, das sind meine Bücher.
◆ Nein, das sind nicht deine Bücher.
● Doch, da steht mein Name.
◆ Oh, Entschuldigung.

Possessivartikel im Plural

meine Kulis
meine Hefte
meine Zeitungen

→ AB, GRAMMATIK, Ü 18   Ü 19

Hefte   Kulis   Bleistifte   Marker
Zeitungen   Blöcke   Comics   CDs

Was isst du gern?

1 Schau das Bild an und antworte in deiner Sprache.

- Was machen Anna und David?
- Worüber sprechen sie?

2a Schau die Bilder A–I an. Was ist <u>nicht</u> auf dem Bild in 1? Schreib die Nomen mit Artikel auf.

(A)	(B)	(C)	(D)	(E)	(F)	(G)	(H)	(I)
Fleisch	Marmelade	Brot	Reis	Gemüse	Fisch	Brötchen	Kuchen	Obst

b Hör zu und kontrolliere.

80 (•))

c Hör zu, zeig mit und sprich nach.

81 (•)) (→) AB, Ü 1–2 |

3a Schau noch einmal das Bild in 1 an. Hör dann zu und lies mit.

82 (•))

David: Was liest du da?

Anna: Mein Sportmagazin, *Karate und Sumo.*

David: Was isst ein Sumo-Ringer eigentlich zum Frühstück?

Anna: Nichts.

David: Echt? Kein Brot? Kein Brötchen? Keine Marmelade?

Anna: Nein, nichts. Hier steht: Sumo-Ringer trainieren von fünf bis halb elf, aber sie essen nichts zum Frühstück.

David: Das ist ja verrückt! Und zum Mittagessen?

Anna: Hm, zum Mittagessen isst ein Sumo-Ringer Fleisch und Gemüse. Dazu viel Reis. Dann schläft er drei Stunden. Er möchte ja dick werden.

David: Und was essen sie zum Abendessen?

Anna: Da essen die Sumo-Ringer wieder viel Fleisch, Gemüse und Reis. Dann haben sie frei und dann schlafen sie wieder.

David: Sag mal, möchtest du Sumo-Ringer sein?

b Hör und lies den Dialog noch einmal und beantworte die Fragen.

82

1. Was isst ein Sumo-Ringer

zum Frühstück? (?).

zum Mittagessen? (?), (?) und (?).

zum Abendessen? (?), (?) und (?).

2. Wann schläft ein Sumo-Ringer? Was ist richtig?

a Am Vormittag.

b Am Nachmittag.

c In der Nacht.

d Er schläft nicht.

4 Schreibt „verrückte" Kärtchen zu *essen* und *schlafen* und spielt Dialoge.

essen: Frühstück
Fisch

schlafen
Vormittag

1. ● Was isst du zum Frühstück?
   ◆ Ich esse Fisch.
   ● Echt? Das ist ja verrückt!

2. ◆ Wann schläfst du?
   ▲ Ich schlafe am Vormittag.
   ◆ Wirklich? Das ist ja verrückt!

Verben essen, schlafen		
ich	esse	schlafe
du	isst	schläfst
er/sie	isst	schläft

→ AB, GRAMMATIK, Ü 3   Ü 4–6 |

5a Schau das Bild an und antworte in deiner Sprache.

• Was fragt Annas Mutter? Was glaubst du?

Mama, du nervst!

b Hör zu und ordne zu.

83

1. Schmeckt die Suppe?

2. Und wie ist der Salat?

3. Und wie ist das Fleisch?

4. Sind die Kartoffeln auch gut?

a Nein, sie sind kalt.

b Es ist gut.

c Er ist okay.

d Ja, sie schmeckt fantastisch!

Personalpronomen	
der Salat	→ er
das Fleisch	→ es
die Suppe	→ sie
die Kartoffeln	→ sie

c Hör noch einmal und kontrolliere.

83

→ AB, GRAMMATIK, Ü 7   Ü 8 |

9

6 Schreibt Kärtchen mit den Pronomen
in den Artikelfarben. Spielt dann
das „Pronomenspiel".

Brot

7a Lies die Fragen und das Interview.
Ordne dann die Fragen zu.

> Und was macht ihr in der Freizeit? ✖ Noch eine Frage, Hakuyo: Magst du Fleisch?
> Wie lange schlaft ihr? ✖ Hakuyo, wie ist dein Tag im Heya[1]?

[1]Heya = Schule der Sumo-Ringer. Dort wohnen sie auch.

║║║║ KARATE UND SUMO

Porträt: Hakuyo Watanabe, Tokio

1 (?) Wir stehen um halb fünf auf und um fünf haben wir Training. Wir
trainieren bis halb elf und dann duschen wir. Um halb zwölf essen
wir, meistens Fleisch, Gemüse und Reis. Und dann schlafen wir.

2 (?) Von ein bis vier Uhr ungefähr. So lange ist Mittagsruhe. Dann machen
wir Hausarbeiten: Wir räumen die Zimmer auf und kaufen ein. Um
sechs Uhr machen wir das Abendessen. Wir kochen wieder Gemüse,
Fleisch und Reis, und dann essen wir zusammen. Um sieben Uhr
trainieren wir noch einmal eine Stunde und dann haben wir frei.

3 (?) Wir schauen DVDs oder machen Computerspiele. Jeder hat einen
Fernseher im Zimmer und einen Computer. Um zehn Uhr ist Schluss.
Wir müssen schlafen. Wir stehen ja um halb fünf schon wieder auf.

4 (?) Nein, ich esse viel lieber Fisch!

b Lies das Interview noch einmal. Was macht Hakuyo? Wie ist die Reihenfolge?

DVDs schauen:	duschen:	aufräumen:	trainieren:	einkaufen:	aufstehen:
Er schaut DVDs.	Er duscht.	Er räumt auf.	Er trainiert.	Er kauft ein.	Er steht auf.
(?)	(?)	(?)	(2)(?)	(?)	(1)

c Was macht Hakuyo wann? Such die Antworten im Text.

1. Hakuyo steht am Morgen um (?) auf.

2. Er trainiert von (?) bis (?) und von (?) bis (?).

3. Von (?) bis (?) räumt er das Zimmer auf und kauft ein.

4. Um (?) kocht er das Abendessen und isst dann.

5. Von (?) bis (?) hat er frei.

6. Um (?) muss Hakuyo schlafen.

Präposition von ... bis

von ein bis vier Uhr

↻ AB, Ü 9 ▎

8 **Was macht Anna am Samstag? Schau die Bilder an und schreib Sätze.**

einkaufen ✖ mit Laura telefonieren ✖ Comics zeichnen
das Zimmer aufräumen ✖ DVDs schauen ✖ ~~um 9 Uhr aufstehen~~

trennbare Verben

✂		Position 2			Ende
ein	kaufen	Sie	kauft	.	ein .
auf	stehen	Sie	steht	um neun Uhr	auf .

A: Anna steht um 9 Uhr auf.

→ AB, GRAMMATIK, Ü 10   SCHREIBTRAINING, Ü 11–12 |

9a **Lies die Steckbriefe von Anna und Hakuyo und ergänze.**

STECKBRIEF	
Name	Becker
Vorname	Anna
Wohnort	Pasing bei München
Land	?
Sprachen	Deutsch, ? , Französisch
Hobbys	Karate , ?
Lieblingsfarbe	rot
Lieblingsessen	Pizza
Lieblingswort	Freunde

STECKBRIEF	
Name	?
Vorname	Hakuyo
Wohnort	?
Land	Japan
Sprachen	? , Englisch
Hobbys	DVDs schauen, kochen
Lieblingsfarbe	blau
Lieblingsessen	?
Lieblingswort	すごい =sugoi (super)

b **Ergänze.**

1. *Ihr* Vorname ist *Anna* .   *Sein* Vorname ist *Hakuyo* .
2. ? Lieblingswort ist ? .   ? Lieblingswort ist ? .
3. *Ihre* Lieblingsfarbe ist ? .   ? Lieblingsfarbe ist ? .
4. ? Hobbys sind ? .   *Seine* Hobbys sind ? .

→ AB, GRAMMATIK, Ü 13   Ü 14 |

Possessivartikel

er 🚹	sie 🚺	
sein	ihr	Vorname
sein	ihr	Lieblingswort
seine	ihre	Lieblingsfarbe
seine	ihre	Hobbys

10 **Spiel mit deiner Partnerin / deinem Partner. (Arbeitsbuch: A und B = Seite 87)**

Landeskunde

Kochst du gern?

1a Welche Bilder passen? Lies Abschnitt 1 und ordne zu.

 (A)    (B)    (C)

KOCHKURSE AN SCHULEN
GUTES ESSEN FÜR GESUNDE KINDER UND JUGENDLICHE

Essen & Trinken

① Immer wieder lesen wir in der Zeitung: Viele Jugendliche kommen ohne Frühstück zur Schule. Sie essen kein warmes Mittagessen, aber viel Schokolade und Süßes. Viele Kinder glauben: Kühe sind weiß und lila (?), Kartoffeln wachsen auf dem Baum (?) und Fleisch kommt aus der Fabrik (?).

② Aber diese Frau sagt stopp! Sie heißt Sarah Wiener. Sie kommt aus Österreich und lebt in Berlin. Sarah Wiener ist Köchin. Sie kocht und sie schreibt Bücher. Kochbücher natürlich. Sarah Wiener und ihr Team gehen auch in Kindergärten und Schulen und machen Kochkurse. Sie kaufen ein und kochen mit Kindern und Jugendlichen. Alles, was gesund ist und gut schmeckt.

b Wer ist diese Frau?
Lies Abschnitt 2 und ergänze.

STECKBRIEF

Name:	?	Beruf:	?
kommt aus:	?	schreibt:	?
wohnt in:	?		
Projekt:	? in Kindergärten und Schulen		

2a Was essen die Jugendlichen gern? Lies die Aussagen und ergänze.

DAS KOCHPROJEKT IN UNSERER SCHULE

Jessica, 12

Normalerweise esse ich zu Hause nichts zum Frühstück. Im Kochkurs machen wir zusammen Müsli und Obstsalat. Das macht Spaß und das schmeckt mir! Ich liebe Äpfel und Melonen! Nur Bananen mag ich gar nicht. Aber im Kochkurs muss ich keine Bananen essen. Das ist super.

Vincent, 13

Ich mag gern Suppen. Zu Hause mache ich manchmal Suppe aus der Dose. Im Kochkurs kochen wir Tomatensuppe mit echten Tomaten und Kartoffelsuppe mit echten Kartoffeln. Das ist nicht schwer – und so lecker!

Svenja, 11

Zu Hause esse ich jeden Tag Fleisch: Hamburger, Pizza mit Schinken, Schnitzel und so. Im Kochkurs an unserer Schule kochen wir aber viel mit Gemüse und machen oft Salate. Das schmeckt eigentlich auch ganz gut!

	Jessica	Vincent	Svenja
… isst zu Hause:	kein Frühstück	?	?
… isst im Kochkurs:	?	?	?

b Was isst du gern? Was kochst du gern? Erzählt in der Klasse.

Wir machen ein Foto-Kochbuch.

1a Lies die Zutaten. Was brauchst du für den Pfannkuchen und was für die Tomatensoße? Ordne die Zutaten zu.

Pfannkuchen mit Apfelmus

Pfannkuchen
? ? ? ? ?

Nudeln mit Tomatensoße

Tomatensoße
? ? ? ? ?

Ⓐ 3 Eier Ⓑ 5 Tomaten Ⓒ Butter Ⓓ Zucker Ⓔ Salz

Ⓕ Pfeffer Ⓖ Mehl Ⓗ Milch Ⓘ 1 Zwiebel Ⓙ Öl

b Wie kocht man Nudeln mit Tomatensoße? Wie ist die Reihenfolge?

Tomatensoße

? Pürieren

? In Öl anbraten und kochen

? Zwiebel und Tomaten schneiden

Nudeln

? Salz und Öl hinzu- fügen

? Spaghetti ins Wasser geben und 10 Minuten kochen

? Wasser kochen

2 Kennst du ein einfaches Rezept? Schreib die Zutaten auf Deutsch und such ein Foto wie in 1a. Macht ein Foto-Kochbuch.

Fertig! Guten Appetit!

Auf einen Blick

Grammatik

Verben

	mögen	essen	schlafen	trennbare Verben aufstehen
ich	mag (!)	esse	schlafe	stehe auf
du	magst	isst	schläfst	stehst auf
er/es/sie	mag (!)	isst	schläft	steht auf
wir	mögen	essen	schlafen	stehen auf
ihr	mögt	esst	schlaft	steht auf
sie	mögen	essen	schlafen	stehen auf
Sie	mögen	essen	schlafen	stehen auf

Höflichkeitsform *Sie*

Frau Schmidt, haben Sie Ananassaft?

Herr Lehmann, sprechen Sie Französisch?

du → Mama, Papa, Oma, Opa, Laura, Nico, Lilly, ...

Sie → Frau ...
Herr ...

Nomen: Singular und Plural

	-e	⸚e	-(e)n	-er	⸚er	-s	-	⸚
Singular	Brot	Block	Schere	Bild	Fahrrad	Kuli	Marker	Apfel
Plural	Brote	Blöcke	Scheren	Bilder	Fahrräder	Kulis	Marker	Äpfel

Bestimmter und unbestimmter Artikel und Negativartikel

Nominativ	*Singular*	der	ein	kein	Trainer
		das	ein	kein	Stadion
		die	eine	keine	Sporthalle
	Plural	die	--	keine	Fotos
Akkusativ	*Singular*	den	einen	keinen	Trainer
		das	ein	kein	Stadion
		die	eine	keine	Sporthalle
	Plural	die	--	keine	Fotos

Ein Breakdancer braucht

 keinen Trainer,

 kein Stadion,

 keine Sporthalle und

keine Fotos.

Aber er braucht Videos!

Possessivartikel im Nominativ und Akkusativ

Nominativ	*Singular*	mein	dein	sein	ihr	Rucksack
		mein	dein	sein	ihr	Heft
		meine	deine	seine	ihre	Gitarre
	Plural	meine	deine	seine	ihre	CDs
Akkusativ	*Singular*	meinen	deinen	seinen	ihren	Rucksack
		mein	dein	sein	ihr	Heft
		meine	deine	seine	ihre	Gitarre
	Plural	meine	deine	seine	ihre	CDs

☝ er → sein / seine / seinen

☝ sie → ihr / ihre / ihren

ich mag
du magst
er/sie mag (!)

du isst
er/sie isst

du schläfst
er/sie schläft

auf stehen
ich stehe auf

Genitiv bei Namen

Simons Schwester heißt Lilly.   Thomas' Opa ist Lehrer.

Thomas' ⑤

Personalpronomen

maskulin	neutral	feminin	Plural
der Fisch	das Fleisch	die Suppe	die Kartoffeln
er	es	sie	sie

Wie schmeckt die Suppe?

Sie schmeckt fantastisch!

Präpositionen

aus + Länder

Spanien   aus Spanien
(!) die Schweiz   aus der Schweiz
(!) die USA   aus den USA

von ... bis

Wir üben von fünf bis sieben.

Woher kommst du?

Aus der Schweiz. 🇨🇭

Aus den USA. 🇺🇸

Syntax: Sätze mit trennbarem Verb

	Position 1	Position 2		Ende
Aussagesatz	Ich	stehe	um sieben Uhr	auf.
W-Frage	Wann	stehe	du	auf.
Ja/Nein-Frage	Stehst	du	jetzt	auf.

✂

auf stehen : Ich stehe auf .
auf räumen : Ich räume auf .
ein kaufen : Ich kaufe ein .

Wortbildung: Endung -in

(🧍) Er ist Trainer.   (🧍) Sie ist Trainerin.

der Koch
die Köchin

Ich kann ...

über meine Familie sprechen:
Das ist mein Bruder. Das sind meine Eltern.

über Berufe sprechen:
Annas Mutter ist Lehrerin.

etwas vermuten:
Ich glaube, das schmeckt gut.

sagen, was ich möchte / nicht möchte:
● Möchtest du Eistee?
◆ ☺ Ja, gern.
   ☹ Nein, danke.

sagen, was ich gern / nicht gern mag:
Eistee mag ich nicht. Ich mag lieber Kakao. /
Ich esse gern Pizza.

höflich grüßen und mich verabschieden:
Guten Tag. / Auf Wiedersehen!

nach dem Preis fragen:
Wie viel kostet der Apfelsaft?

mich entschuldigen:
Entschuldigung! Das tut mir leid.

mich bedanken: Vielen Dank.

meinen Tag beschreiben:
Ich stehe um halb acht auf. Dann dusche ich.

Zeitangaben machen:
Ich schlafe von drei bis vier. / Du schläfst
sieben Stunden.

Überraschung ausdrücken:
Wirklich? / Echt? / Das ist ja verrückt!

Lektion 7

1 **Schreib sechs Fragen zu David (Familie, Hobbys, ...). Fragt und antwortet zu zweit oder zu dritt.**

● Wie heißt Davids Schwester? ▲ Was ist Davids Opa von Beruf?

◆ Sie heißt ... ● Er ist ...

2 **Sprecht zu dritt über eure Familie und eure Hobbys. Welche Gruppe findet die meisten Gemeinsamkeiten?**

● Ich habe zwei Geschwister, und ihr? ■ Wer schwimmt gern?

◆ Ich habe nur einen Bruder. ◆ Ich.

■ Und ich habe ... ● Ich ... auch ...

Lektion 8

1 **Schreib die Namen der Getränke richtig und frag deine Partnerin / deinen Partner, was sie/er trinken möchte.**

FAEKEF ESTEIE DONAMILE
OGFASTNAM OAKAK ASWALRERSENIM
CILTAOKC EISPZ ANELIMCABNNH

● Hast du Durst? Möchtest du ...?

◆ < Ja, gern!
Nein, danke. ... mag ich nicht.
Ich mag lieber ...

2 **Spielt einen Dialog. Tauscht dann die Rollen.**

SCHULKIOSK

Milch 0,80 € · Kakao 1,20 € · Tee 1,00 € · Kaffee 1,20 €
Orangensaft 1,20 € · Apfelsaft 1,10 € · Mineralwasser 0,80 €
Eistee 1,00 € · Spezi 1,20 € · Limonade 1,10 €

● Guten Tag.

■ ...

● Was möchtest du?

■ Ich ...

● Das kostet ...

■ ...

Lektion 9

1 **Was isst du gern, was nicht? Schau noch einmal auf Seite 56 und schreib deine persönliche „Hit-Liste". Sprecht zu zweit über eure „Hit-Listen".**

☺
1. Kuchen
2. ?

☹
?
?

● Ich mag sehr gern Kuchen. Und du?

◆ Ich esse lieber Eis.

● ...

2 **„Mein Tag". Schreib drei Sätze auf. Ein Satz ist falsch. Tausch die Sätze mit deiner Partnerin / deinem Partner. Die/Der andere rät: Was ist falsch?**

1. Ich stehe um sechs Uhr auf.
2. Ich trinke Orangensaft zum Frühstück.
3. Ich trainiere von vier bis sechs.

● Ich glaube, du stehst um sechs Uhr auf.

◆ < Nein, tut mir leid, das ist falsch.
Ja, das ist richtig!

- Die alphabetische Wortliste enthält die Wörter dieses Buches mit Nennung der Lektion und der Aufgabennummer. Angegeben ist jeweils das erste Vorkommen im Buch.
  Beispiel: Abend, -e, der Start 6 → Das Wort *Abend* kommt erstmals in Start, Aufgabe 6a vor.

- Kursiv gedruckt sind Wörter, die weder zum Lernwortschatz von *Beste Freunde A1.1* gehören noch für die Prüfungen der Niveaustufen A1, A2 und B1 vorausgesetzt werden.

- Der für die Schüler relevante Lernwortschatz einer Lektion befindet sich im Arbeitsbuch am Ende jeder Lektion.

- Nomen mit der Angabe (Sg.) verwendet man in der Regel nur im Singular.
  Nomen mit der Angabe (Pl.) verwendet man in der Regel nur im Plural.

- Folgende Abkürzungen werden verwendet: **LK** = Landeskunde, **AeB** = Auf einen Blick, **WH** = Wiederholung

A

ab 5 2a

Abend, -e, der **Start** 6a

Abendessen, -, das 9 3a

aber 3 1a

Abteilung, -en, die 5 9

ach 4 8a

acht **Start** 11a

achtzehn **Start** 11b

achtzig 8 6a

äh 1 8b

Ah! 1 8b

Ahnung, -en, die 1 3b

Akkusativ, -e, der AeB 2

allein 6 12c

alles klar 3 6a

alles 5 5a

also 5 2a

alt 4 7

Alter (Sg.), das **Einstieg** 1

am (+ Datum / Tag / Tageszeit) 4 11a

an **LK** 3 1a

Ananas, -, die 3 1a

Ananassaft, ⁚e, der 3 1a

anbraten **Projekt** 3 1b

andere 2 5a

anstrengend 5 5a

Antwort, -en, die 2 13

Anzeige, -n, die 4 7b

Apfel, ⁚, der 8 1a

Apfelmus (Sg.), das **Projekt** 3 1a

Apfelsaft, ⁚e, der 8 1a

April, -e, der **Start** 9a

Arbeit, -en, die 9 7a

Architekt, -en, der 7 1b

Architektin, -nen, die 7 1b

Artikel, -, der AeB 1

Arzt, ⁚e, der 7 5

Ärztin, -nen, die 7 5

au ja 6 12c

auch 2 1a

auf (auf Platz 1) 2 1a

auf (lokal) **LK** 3 1a

auf Wiedersehen 8 9b

Aufgabe, -n, die **LK** 2 2

aufräumen 9 7a

aufstehen 9 7a

Auge, -n, das **Einstieg** 1

August, -e, der **Start** 9a

aus 1 8b

Aussagesatz, ⁚e, der AeB 1

Australien (Sg.), das 3 1a

B

Badminton (Sg.), das 2 13

bald 1 8b

Banane, -n, die 8 4a

Bananenmilch (Sg.), die 8 4a

Basketball, der 2 1

Baum, ⁚e, der **LK** 3 1a

bei (+ Person) 6 8a

bei 2 1

Beispiel, -e, das **LK** 1 1

Berg, -e, der **LK** 1 1

Beruf, -e, der 7 5

besonders 5 5a

bestimmter Artikel, -, der AeB 1

Bild, -er, das **LK** 1 1

Bio(logie) (Sg.), die 4 1

bis bald 1 8b

bis 5 5a

bisschen 8 13a

bitte **Start** 3a

blau **Start** 13a

Bleistift, -e, der 5 7a

Block, ⁚e, der 5 7a

blöd 1 3b

blond **Einstieg** 1

brauchen 4 7

braun **Start** 13a

Wortliste

Breakdance (Sg.), der
    Einstieg 3
Breakdance-Elite, -en, die 7 8
Brot, -e, das 9 2a
Brötchen, -, das 9 2a
Bruder, ⸚, der **Einstieg** 1
Buch, ⸚er, das 8 13a
Butter (Sg.), die **Projekt** 3 1a

C

Canyoning (Sg.), das 2 13
CD, -s, die 8 15
Cello, -s, das 5 5a
Cent (Sg.), der 8 10
China (Sg.), das 7 9
Chinesisch (Sg.), das 4 9a
Chips (Pl.) 8 11
Choreografie, -n, die 7 10a
Cola, -s, die 8 1a
Comic, -s, der **Einstieg** 3
Computer, -, der **Einstieg** 2
Computerabteilung, -en, die
    5 9
Computer-Spezialist, -en, der 4 5b
Computerspiel, -e, das 6 12b
cool 1 3b
Cousin, -s, der 7 2a
Cousine, -n, die 7 2a

D

da 1 3b
dabei 7 8
Dank (Sg.), der **Start** 3a
danke **Einstieg** 3
dann 1 8b
das ist **Start** 1a
das **Start** 1a
dazu 9 3a
dein/deine **Projekt** 1 2a
denken 5 8a
denn (Modalpartikel) 6 2a
der 1 3b
Deutsch (Sg.), das 3 6a

Deutschland (Sg.), das 3 4c
Dezember, -, der **Start** 9a
dich 4 7
dick 9 3a
die 1 3b
Dienstag, -e, der **Start** 6a
dieser/diese/dieses 2 13
Diskussion, -en, die 5 1b
doch (Antwortpartikel) 4 8a
doch (Modalpartikel) 3 4c
Donnerstag, -e, der **Start** 6a
doof **Einstieg** 2
Dose, -n, die **LK** 3 2a
drei **Start** 11a
dreißig 8 6a
dreizehn **Start** 11b
du 1 8b
Durst (Sg.), der 8 2
duschen 9 7a
DVD, -s, die 6 2a

E

echt 5 8a
egal 7 10a
Ei, -er, das **Projekt** 3 1a
eigentlich 9 3a
ein/eine **LK** 1 1
eine Null sein 2 5a
einfach **LK** 1 1
einkaufen 9 7a
einmal 5 5a
eins **Start** 11a
Einwohner, -, der **LK** 1 1
Eis (Sg.), das **Projekt** 1 2a
Eistee, -s, der 8 1a
Eiswürfel, -, der 8 4a
elf **Start** 11b
Eltern (Pl.) 7 2a
E-Mail, -s, die **LK** 1 1
Ende, -n, das **Start** 6a
endlich 5 9
Endung, -en, die **AeB** 3
Energie, -n, die 7 10a
England (Sg.), das 4 8a

Englisch (Sg.), das **Einstieg** 2
Entschuldigung, -en, die 8 13a
er 2 1a
Erdkunde (Sg.), die **LK** 2 1
es gibt **LK** 1 1
es ist (+ Uhrzeit) 6 10a
es 4 7b
essen 9 3a
Essen, -, das 9 9a
Ethik (Sg.), die 4 1
etwas 8 9b
Euro (Sg.), der 8 5
Europa (Sg.), das 3 5

F

Fabrik, -en, die **LK** 3 1a
fahren **LK** 1 1
Fahrrad, ⸚er, das 1 5a
falsch 2 12
Familie, -n, die 7 3a
Fan, -s, der **Projekt** 1 2a
fantastisch 9 5b
Fantasy (Sg.), die 5 5a
Farbe, -n, die 9 9a
Februar, -e, der **Start** 9a
feminin **AeB** 1
Fernseher, -, der 9 7a
fertig sein 6 12a
Film, -e, der 5 2a
finden **Einstieg** 2
Fisch, -e, der 9 2a
Flasche, -n, die 8 9b
Fleisch (Sg.), das 9 2a
fliegen 5 2a
Flugzeug, -e, das 5 2a
Form, -en, die **AeB** 3
Forum, Foren, das **Einstieg** 3
Foto, -s, das 1 5a
Foto-Kochbuch, ⸚er, das
    Projekt 3 1a
Frage, -en, die **AeB** 1
fragen **LK** 2 2
Französisch (Sg.), das **LK** 1 1
Frau, -en, die 5 2a

frei 4 11a
Freitag, -e, der Start 6a
Freizeit (Sg.), die 9 7a
Fremdsprache, -n, die
  Einstieg 3
Freund, -e, der 3 1a
Freundin, -nen, die 3 1a
Frühling, -e, der Start 10b
Frühstück (Sg.), das 9 3a
Füller, -, der 5 7a
fünf Start 11b
Fünfkampf, ˸e, der 2 13
fünfzehn Start 11b
fünfzig 8 5a
für Projekt 1 2a
furchtbar 8 13a
Fußball, ˸e, der Einstieg 1
Fußballspieler, -, der 7 11
Fußballspielerin, -nen, die 7 11

G

ganz 4 3
Ganztagsschule, -n, die LK 2 2
gar LK 3 2a
geben 3 6a
gehen (das geht) 6 2a
gehen (es geht um) 4 7b
gehen 2 10a
gelb Start 13a
Geld (Sg.), das 8 5
Gemüse, -, das 9 2a
genau LK 2 2
Genitiv, -e, der AeB 3
genug 8 5
Geografie (Sg.), die 3 4a
gerade 2 10a
gern 2 1
Geschichte (Sg.), die 4 1
Geschwister (Pl.) Einstieg 1
gesund LK 3 1a
gewinnen 2 1
Gitarre, -n, die 1 2a
Glas, ˸er, das 8 4b
glauben 7 9

gleich 6 12a
Glück (Sg.), das 7 10a
grau Start 13a
Griechenland (Sg.), das 7 8
Griechisch (Sg.), das 4 9a
Großeltern (Pl.) 7 2a
Großmutter, ˸, die 7 2a
Großvater, ˸, der 7 2a
gruezi LK 1 1
grün Start 13a
Gruppe, -n, die 4 7
gut Einstieg 2
gute Nacht Start 6b
guten Abend Start 6b
guten Appetit Projekt 3 1b
guten Morgen Start 6b
guten Tag Start 6b
Gymnasium, Gymnasien, das
  2 1

H

Haar, -e, das Einstieg 1
haben LK 1 1
halb 6 7a
Halle, -n, die 7 10
hallo Start 1a
Hamburger, -, der LK 3 2a
Handball, der 2 13
hassen Einstieg 2
Hauptstadt, ˸e, die LK 1 1
Haus, ˸er, das LK 2 2
Hausarbeit, -en, die 9 7a
Hausaufgabe, -n, die LK 2 2
Hausfrau, -en, die 7 5
Hausmann, ˸er, der 7 5
Heft, -e, das 5 7a
heißen 1 8b
Herbst, -e, der Start 10b
Herr, -en, der 8 11
heute 2 11
hey Start 6b
hi 1 8b
hier 2 1
Hilfe, -n, die 8 13a

hinzufügen Projekt 3 1b
Hip-Hop (Sg.), der 3 6a
Hipp hipp hurra! 2 1
hm, ja 1 3b
Hobby, -s, das Einstieg 1
Hockey (Sg.), das 2 3
Höflichkeitsform, -en, die AeB 3
hoi LK 1 1
hören 3 1a
hundert 8 6a

I

ich Start 1a
ihr 2 11
ihr/ihre 9 9b
immer 8 12
in (lokal) 3 1a
in (temporal) LK 1 1
Info, -s, die 4 7
Informatik (Sg.), die Einstieg 2
intelligent 5 5a
interessant 1 3b
Internet (Sg.), das LK 1 1
Interview, -s, das 2 1
Italien (Sg.), das Projekt 1 3
Italienisch (Sg.), das 4 9a

J

ja Start 9d
Ja/Nein-Frage, -n, die AeB 1
Jahr, -e, das 4 7
Januar, -e, der Start 9a
Japan (Sg.), das Einstieg 3
Japanisch (Sg.), das Einstieg 3
jeder/jedes/jede LK 2 2
jetzt 3 1a
Job, -s, der 5 5a
Judo (Sg.), das 7 1b
Jugendliche, -n, der / die
  LK 3 1a
Juli, -s, der Start 9a
Junge, -n, der 1 2a
Juni, -s, der Start 9a

Wortliste

K

Kaffee, -s, der   8 1a
Kakao, -s, der   8 1a
kalt   9 5b
Kamel, -e, das   8 13a
Kapitän, -e, der   Einstieg 2
Karate (Sg.), das   2 3a
Karateklub, -s, der   Einstieg 3
Karibik-Cocktail, -s, der   8 1b
Kartoffel, -n, die   9 5b
Kartoffelsuppe, -n, die
   LK 3 2a
kaufen   5 11
Kaugummi, -s, der   8 9a
kein/keine   2 11
keine Ahnung   1 3b
Kenia (Sg.), das   7 9
kennen   LK 1 1
Kennzeichen, -, das   LK 1 1
Kick, -s, der   3 6
Kind, -er, das   LK 3 1a
Kindergarten, -, der   LK 3 1a
Kino, -s, das   8 12
Kiosk, -e, der   WH 3 2
klar   1 8b
Klasse, -n, die   2 1
klein   LK 1 1
klettern   Einstieg 1
Klub, -s, der   Einstieg 3
Koch, -e, der   7 5
Kochbuch, -er, das   LK 3 1a
kochen   9 7a
Köchin, -nen, die   7 5
Kochkurs, -e, der   LK 3 1a
Kochprojekt, -e, das   LK 3 1a
kommen   1 8b
können (Vorschlag)   LK 1 1
kosten   8 10
Kuchen, -, der   9 2a
Kuh, -e, die   LK 3 1a
Kuli, -s, der   5 7a
Kunst(erziehung) (Sg.), die   4 1
Kunst, -e, die   7 10a
Kurs, -e, der   LK 3 1a

L

lachen   3 6a
Lampe, -n, die   1 2a
Land, -er, das   LK 1 1
lange   9 7a
langweilig   4 3
leben   LK 3 1a
lecker   LK 3 2a
Lehrer, -, der   7 5
Lehrerin, -nen, die   7 5
leidtun   6 2a
lernen   6 1
Lernzeit, -en, die   LK 2 1
lesen   Einstieg 3
lieben   3 6a
lieber   3 6a
Lieblingsessen, -, das   9 9a
Lieblingsfarbe, -n, die   9 9a
Lieblingswort, -er, das   9 9a
Liechtenstein (Sg.), das   3 4c
Lied, -er, das   3 6a
lila   Start 13a
Limo, -s, die   8 1a
Limonade, -n, die   8 4a
Lineal, -e, das   5 7a
Liter, -, der   8 4a
losgehen   5 2a
Lust, -e, die   2 11
lustig   3 1a

M

machen   2 1
Mädchen, -, das   1 5a
Mai, -e, der   Start 9a
mal   LK 1 1
man   Start 3a
manchmal   Einstieg 2
Manga, -s, das   Einstieg 3
Mango, -s, die   8 4a
Mangosaft, -e, der   8 4a
Mann, -er, der   5 2a
Marker, -, der   5 7a
Marmelade, -n, die   9 2a

März, -e, der   Start 9a
maskulin   AeB 1
Master-Turnier, -e, das   7 8
Mathe (Sg.)   2 5a
Mathematik (Sg.), die
   Einstieg 1
Meer, -e, das   Projekt 1 2a
Mehl (Sg.), das   Projekt 3 1a
mehr   8 8
mein/meine   LK 1 1
meinen   1 1
meistens   9 7a
Melone, -n, die   LK 3 2a
mich   Einstieg 2
Milch (Sg.), die   8 1a
Mineralwasser (Sg.), das   8 1a
Minute, -n, die   Projekt 3 1b
mir   LK 1 1
Mist (Sg.), der   6 10a
mit   2 1
Mitglied, -er, das   Einstieg 3
Mitglieder-Porträt, -s, das
   Einstieg 3
mitmachen   4 7b
Mittag, -e, der   6 6
Mittagessen, -, das   9 3a
Mittagspause, -n, die   LK 2 1
Mittagsruhe (Sg.), die   9 7a
Mittwoch, -e, der   Start 6a
möchten   2 10a
Modalverb, -en, das   AeB 2
Mode, -n, die   2 1a
modern   2 13
mögen   8 3
Mond, -e, der   3 6a
Monopoly® (Sg.), das   1 13a
Montag, -e, der   Start 6a
morgen   6 2a
Morgen, -, der   6 6
Mountainbike, -s, das   LK 1 1
Musical, -s, das   5 1b
Musik (Sg.), die   Einstieg 1
Müsli, -s, das   LK 3 2a
müssen   6 2a
mutig   5 5a
Mutter, -, die   6 10a

N

na   1 *8b*

na ja   2 13

na toll   6 12c

Nachmittag, -e, der   6 5

Nacht, ̈e, die   6 6

Name, -n, der   **Einstieg** 1

nass   8 13a

natürlich   2 1

Negation, -en, die   AeB 1

Negativartikel (Sg.), der   AeB 3

nein   **Start** 9d

nerven   7 3a

neu   4 7

neun   **Start** 11b

neunzehn   **Start** 11b

neunzig   8 6a

neutral   AeB 1

nicht   2 5a

nichts   2 10c

nie   5 5a

niemand   7 1b

noch   5 13

Nomen, -, das   AeB 1

Nominativ, -e, der   AeB 1

normal   5 5a

normalerweise   LK 3 2a

November, -, der   **Start** 9a

null   **Start** 11b

Nummer, -n, die   2 1

nur   2 5a

O

o.k.   5 13

Obst (Sg.), das   9 2a

Obstsalat, -e, der   LK 3 2a

oder   1 *8b*

oft   LK 3 2a

ohne   LK 3 1a

okay   2 5a

Oktober, -, der   **Start** 9a

Öl, -e, das   **Projekt** 3 1a

Oma, -s, die   7 2a

Onkel, -s, der   7 1a

Opa, -s, der   7 1a

orange   **Start** 13a

Orange, -n, die   8 1a

Orangensaft, ̈e, der   8 1a

Ort, -e, der   **Einstieg** 1

Österreich (Sg.), das   3 4c

Österreicher, -, der   LK 1 1

P

Pause, -n, die   LK 2 1

Personalpronomen, -, das   AeB 1

Pfannkuchen, -, der
  Projekt 3 1a

Pfeffer (Sg.), der   **Projekt** 3 1a

Physik (Sg.), die   4 1

Pingpong (Sg.), das   3 6a

Pizza,-s, die   **Projekt** 1 2a

Planet, -en, der   **Einstieg** 2

Platz, ̈e, der   2 1

Plural, -e, der   AeB 3

Polen (Sg.), das   7 8

Popcorn (Sg.), das   8 11

Porträt, -s, das   9 7a

Possessivartikel, -, der   AeB 3

Präposition, -en, die   AeB 1

Prinzessin, -nen, die   5 2a

Profi, -s, der   2 13

Projekt, -e, das   LK 3 1a

pürieren   *Projekt* 3 1b

Q

Quiz, -, das   5 1b

R

Racketlon (Sg.), das   2 13

Radiergummi, -s, der   5 7a

Raumschiff, -e, das   **Einstieg** 2

registrieren   8 12

Reis (Sg.), der   9 2a

Religion, -en, die   4 1

Rhythmus, Rhythmen, der   7 10a

richtig   2 1

Rock'n' Roll (Sg.), der   3 6a

Rockmusik, -en, die   3 1a

Rolle, -n, die   5 5a

rot   **Start** 13a

Rucksack, ̈e, der   1 5a

Russisch (Sg.), das   4 9a

Russland (Sg.), das   7 9

S

Sache, -n, die   8 13a

Saft, ̈e, der   8 1a

sagen   5 5a

Salat, -e, der   9 5b

Salz (Sg.), das   **Projekt** 3 1a

Samstag, -e, der   **Start** 6a

Satz, ̈e, der   AeB 2

sauer   6 11a

Saxofon, -e, das   1 13a

schade   6 2a

schau mal   1 3

schauen   6 1

Schere, -n, die   5 7a

Schiff, -e, das   5 2a

Schinken, -, der   LK 3 2a

schlafen   9 3a

Schlagzeug, -e, das   3 5

Schloss, ̈er, das   LK 1 1

Schluss, ̈e, der   9 7a

schmecken   8 4b

schneiden   **Projekt** 3 1b

Schnitzel, -, das   LK 3 2a

Schokolade, -n, die   8 11

schon   4 8a

schön   **Start** 6b

schreiben   **Start** 3a

Schreibwaren (Pl.)   5 7a

Schule, -n, die   **Einstieg** 1

Schüler, -, der   2 1

Schülerin, -nen, die   2 1

Schülerzeitung, -en, die   2 1

schwarz   **Start** 13a

Schweden (Sg.), das   5 5b

Schwedisch (Sg.), das   5 5a

Wortliste

Schweiz (Sg.), die   3 4c
schwer   LK 3 2a
Schwester, -n, die   7 2a
schwimmen   2 3a
Science-Fiction (Sg.), die   5 1b
sechs   **Start** 11a
sechzehn   **Start** 11b
sechzig   8 6a
sehen   4 5a
sehr   **LK 1** 1
sein   **Start** 1a
sein/seine   9 9b
seit   8 12
Sekretär, -e, der   7 6
Sekretärin, -nen, die   7 6
September, -, der   **Start** 9a
Serie, -n, die   **Einstieg 2**
servus   **LK 1** 1
Sessel, -, der   1 2a
sie (Sg.)   2 1a
sie (Pl.)   3 1a
Sie   8 9b
sieben   **Start** 11a
siebzehn   **Start** 11b
siebzig   8 6a
singen   **Einstieg 1**
Singular, -e, der   **AeB 1**
Situation, -en, die   6 6
Skateboard, -s, das   **LK 2** 2
Ski fahren   **LK 1** 1
so   3 1a
Sommer, -, der   **Start** 10b
Sonntag, -e, der   **Start** 6a
sonst   8 9b
Soße, -n, die   **Projekt 3** 1a
soweit   7 8
Spaghetti, -, die   **Projekt 1** 2a
Spanien (Sg.), das   3 5
Spanisch (Sg.), das   4 9a
Spaß, ¨e, der   **Einstieg 3**
spät   6 10a
Spezi (Sg.), das   8 1a
Spickzettel, -, der   2 1
Spiel, -e, das   6 10a
spielen   1 8a

Spieler, -, der   7 11
Spielerin, -nen, die   7 11
spinnen   6 12c
Spitzer, -, der   5 7a
Sport (Sg.), der   **Einstieg 1**
Sporthalle, -n, die   7 10
Sportmagazin, -e, das   9 3a
Sporttasche, -n, die   1 5a
Sprache, -n, die   **LK 1** 1
sprechen   **LK 1** 1
Stadion, Stadien, das   7 10
Stadt, ¨e, die   **Projekt 1** 2a
Start, -s, der   3 5
Steckbrief, -e, der   **Einstieg 1**
stehen   8 15
Stimme, -n, die   5 5a
stimmen   5 8a
stopp   **LK 3** 1a
Straße, -n, die   7 10
Studio, -s, das   5 5a
Stunde, -n, die   4 2
Subjekt, -e, das   **AeB 2**
Sudoku, -s, das   6 12a
Summe, -n, die   8 9a
Sumo-Ringer, -, der   9 3a
super   1 3b
Suppe, -n, die   9 5b
Surfbrett, -er, das   1 2a
surfen   2 3a
süß   1 3b
Süße (Sg.), das   **LK 3** 1a
Synchronsprecherin, -nen, die   5 5a
Syntax, -en, die   **AeB 1**

T

Tag, -e, der   **Start** 6a
Tageszeit, -en, die   6 8b
Tante, -n, die   7 2a
tanzen   7 10a
Tänzer, -, der   7 6
Tänzerin, -nen, die   7 6
Tanz-Video, -s, das   7 10a
Tasche, -n, die   1 5a
tauchen   2 3a

Team, -s, das   **LK 3** 1a
Tee, -s, der   8 1a
telefonieren   3 1a
Tennis (Sg.), das   1 13a
Text, -e, der   7 11
Theater, -, das   **Einstieg 2**
Theatergruppe, -n, die   4 7
Theaterspielen (Sg.), das   4 7
Tisch, -e, der   3 5
Tischtennis (Sg.), das   3 5
toll   1 6
Tomate, -n, die   **LK 3** 2a
Tomatensoße, -n, die
   Projekt 3 1a
Tomatensuppe, -n, die   **LK 3** 2a
Tor, -e, das   3 6a
total   4 3
Trainer, -, der   7 6
Trainerin, -nen, die   7 6
trainieren   7 10a
Training, -s, das   9 7a
Traum, ¨e, der   5 5a
treffen (sich)   7 8
trennbares Verb   **AeB 3**
trinken   3 1a
tschüss   1 8b
T-Shirt, -s, das   1 5a
Türkei (Sg.), die   7 9
Türkisch (Sg.), das   4 9a
Turnier, -e, das   7 8
Tüte, -n, die   8 11
typisch   **Projekt 1** 2a

U

üben   **Einstieg 2**
Uhr, -en, die   5 5a
Uhrzeit, -en, die   6 8b
um   6 7a
unbestimmte Artikel, -, der
   AeB 1
und   **Start** 1a
ungefähr   9 7a
ungesund   8 12
unser   **LK 3** 2a

Wortliste

V

Vater, ⸚, der   4 8a
Verb, -en, das   AeB 1
verrückt   9 3a
Video, -s, das   7 10a
viel   **Start** 3a
viel Glück   7 10a
vielen Dank   **Start** 3a
vielleicht   2 11
vier   **Start** 11b
vierzehn   **Start** 11b
vierzig   8 6a
voll   3 6a
Volleyball, der   1 13a
von (lokal)   3 6a
von ... bis   5 5a
Vormittag, -e, der   6 6
Vorname, -n, der   9 9a

W

wachsen   LK 3 1a
wann   6 2a
Ware, -n, die   5 7a
warm   LK 3 1a
warten   5 8a

warum   4 8a
was   2 2
Wasser (Sg.), das   7 1b
weiß   **Start** 13a
Weltraum (Sg.), der   5 2a
wen   4 5a
wenig   8 8
wer   1 3b
werden   9 3a
W-Frage, -n, die   AeB 1
Wie bitte?   **Start** 3a
Wie geht es dir?   3 6a
wie lange   9 7a
wie viel   2 13
wie   **Start** 3a
wieder   9 3a
Wiedersehen, -, das   8 9b
willkommen   **Einstieg** 3
Winter (Sg.), der   **Start** 10b
wir   2 11
wirklich   4 8a
wissen   3 4c
wo   3 3c
Woche, -n, die   **Start** 6a
Wochenende, -n, das   **Start** 6a
woher   1 8b
wohin   2 10a

wohnen   3 1a
Wohnort, -e, der   **Einstieg** 1
Wort, ⸚er, das   4 10b
Wortbildung, -en, die   AeB 3
worüber   9 1
worum   4 7b
wunderschön   **Start** 6a
wünschen   7 10a
Würfel, -, der   8 4a

Z

zehn   **Start** 11b
Zeichentrickserie, -n, die   5 1b
zeichnen   **Einstieg** 3
Zeit, -en, die   6 2a
Zeitung, -en, die   2 1
Ziel, -e, das   3 5
Zimmer, -, das   9 7a
Zitrone, -n, die   8 4a
zu Hause   LK 3 2a
zu   7 8
Zucker (Sg.), der   8 4a
zusammen   2 11
zwanzig   **Start** 11b
zwei   **Start** 11a
Zwiebel, -n, die   **Projekt** 3 1a
zwölf   **Start** 11b

Quellenverzeichnis

Cover: Martin Kreuzer, Bachern am Wörthsee
U2: © Digital Wisdom

Seite 6: Dominik Gigler, Gräfelfing
Seite 9: Weltkugel © fotolia/ag visuell; Frühling, Winter © Thinkstock/Photodisc; Sommer © Thinkstock/iStockphoto; Herbst © iStockphoto/Rebell
Seite 11: Laura © Hueber Verlag/Kiermeir; a © iStockphoto/millionhope; b, c © Thinkstock/iStockphoto
Seite 14: 7b: Dominik Gigler, Gräfelfing; Karte © Digital Wisdom
Seite 16: Max © Thinkstock/Comstock/Jupiterimages; Mädchen kletternd © fotolia/Eric Fahrner
Seite 17: Übung 3a: A © PantherMedia/Ron Chapple; B © PantherMedia/Meseritsch Herby; C © Thinkstock/Comstock; D © Thinkstock/iStockphoto; E © Thinkstock/Brand X Pictures
Seite 19: Übung 13: 1, 3 © Thinkstock/iStockphoto; 2 © Thinkstock/Comstock
Seite 20: C © Thinkstock/BananaStock
Seite 21: © Digital Wisdom
Seite 22: Saxofon © fotolia/Dmitri MIkitenko; Flagge Spanien © Thinkstock/Hemera; andere Flaggen © fotolia/createur; Wien © PantherMedia/Martin F.; Berlin © PantherMedia/Roland Niederstrath; Mathe © iStockphoto/Zocha_K; Schwimmen © fotolia/Snezana Skundric; Tischtennis © iStockphoto/Lobsterclaws; Madrid, Tauchen, Tennis © Thinkstock/iStockphoto; Schlagzeug © iStockphoto/pixhook
Seite 23: A © Thinkstock/Hemera; B © fotolia/John R. Amelia; C © iStockphoto/Jan Tyler; D © Thinkstock/Digital Vision
Seite 24: Übung 1: Paul: Florian Bachmeier, Schliersee; Nele © iStockphoto/Funwithfood; Urs © iStockphoto/ArtisticCaptures; Anne/Alessa © Thinkstock/iStockphoto; Flagge Österreich © Thinkstock/Hemera; andere Flaggen © fotolia/createur; Übung 2: A © Thinkstock/iStockphoto; B © fotolia/Andrea Seemann; C © PantherMedia/Roland Niederstrath; D © iStockphoto/amriphoto
Seite 25: Junge © Thinkstock/Getty Images/Jupiterimages; Colosseum © Thinkstock/iStockphoto; Sizilien © iStockphoto/Lu Heng
Seite 27: Karte © Digital Wisdom
Seite 28: unten © iStockphoto/c8501089; oben © Thinkstock/Getty Images/BananaStock
Seite 29: Simon: Dominik Gigler, Gräfelfing; Computer © fotolia/Elnur; Flaggen © fotolia/createur; Daumen © iStockphoto/seriga; Raumschiff © iStockphoto/adventtr; Tischtennis © iStockphoto/Lobsterclaws; Noten © iStockphoto/TPopova; Masken © Thinkstock/iStockphoto
Seite 32: We want you © Thinkstock/Stockbyte
Seite 35: © Thinkstock/iStockphoto
Seite 36: Spitzer © Thinkstock/Hemera, Kuli: Florian Bachmeier, Schliersee; Radiergummi © iStockphoto/kemie; Füller, Schere, Sporttasche © Thinkstock/iStockphoto; Lineal © Thinkstock/Stockbyte/George Doyle; Heft © fotolia/M. Jenkins; Marker © Thinkstock/Zoonar; Block © PantherMedia/alexkalina; Bleistift © fotolia/Daniel Burch
Seite 42: Nicole © Thinkstock/Jupiterimages; Thomas © Thinkstock/Comstock
Seite 43: Rucksäcke © Jael Kahlenberg, Wessling
Seite 45: © iStockphoto/RickBL
Seite 46: Lektion 4: Flaggen © fotolia/createur; Flagge Spanien © Thinkstock/Hemera; Lektion 5: 1 Reihe von links: © Thinkstock/Stockbyte/

George Doyle; © Thinkstock/Hemera; © iStockphoto/kemie; © Shotshop.com/Elena; 2 Reihe von links: © fotolia/Thongsee; © PantherMedia/Maksym Topchii; © fotolia/D. Fabri; © Thinkstock/iStockphoto; © Thinkstock/iStockphoto; Lektion 6: Mädchen © Thinkstock/VStock; Junge © Thinkstock/iStockphoto
Seite 48: A, B © Thinkstock/iStockphoto; D © iStockphoto/Stephen Morris; Familie: Opa © Thinkstock/Digital Vision/Amos Morgan; Oma, Onkel, Tante, Cousine, Bruder © Thinkstock/iStockphoto; Vater © fotolia/Albert Schleich; Mutter © Thinkstock/Jupiterimages; Cousin © Thinkstock/Comstock; ich © Thinkstock/Monkey Business; Schwester © Thinkstock/Monkey Business
Seite 50: Übung 6: A © Thinkstock/Creatas; B © Thinkstock/Hemera; C © Thinkstock/Getty Images/Jupiterimages; D © Thinkstock/iStockphoto; Übung 8: © Thinkstock/iStockphoto; Übung 9: A © Thinkstock/Ingram Publishing; B © iStockphoto/Mark Spowart 2006; C, G © Thinkstock/iStockphoto; D © fotolia/cronopio; E © fotolia/zzzdim; F © fotolia/Marco Desscouleurs
Seite 51: Übung C: A, C © Thinkstock/iStockphoto; B © iStockphoto/luoman; D © Thinkstock/liquidlibrary/Jupiterimages; Übung 11: A, B © Thinkstock/iStockphoto; C © Thinkstock/Goodshoot; D © fotolia/tiero
Seite 52: Eistee, Limo, Spezi © Thinkstock/iStockphoto; Apfelsaft © fotolia/GuS; Cola Flasche © Thinkstock/Hemera; Kaffee © fotolia/Stocksnapper; Milch © fotolia/seen; Wasser © iStockphoto/deepblue4you; Tee © iStockphoto/Maica; Orangensaft © iStockphoto/JPecha
Seite 53: Limonade, Bananenmilch, Glas, Eiswürfel © Thinkstock/iStockphoto
Seite 54: Übung 10: Apfelsaft © Thinkstock/iStockphoto; T-Shirt © fotolia/Alx; Kugelschreiber © fotolia/D. Fabri; Radiergummi © iStockphoto/kemie; Heft © fotolia/M. Jenkins; Übung 11: Comic © Thinkstock/iStockphoto (Schriftzug „Superheld" © Hueber Verlag); Schokolade, Popcorn, Eis © Thinkstock/iStockphoto; Chips © Hueber Verlag/Iciar Caso; Flasche © iStockphoto/deepblue4you; Zeitung © fotolia/Stauke; Übung 12: Lady, King, Lion © Thinkstock/iStockphoto
Seite 56: A, E © Thinkstock/iStockphoto; B © fotolia/Leonid Nyshko; C © Thinkstock/Getty Images; D © Thinkstock/Hemera; F © fotolia/photocrew; G © fotolia/photoGrapHie; H © iStockphoto/stray_cat; I © fotolia/Diedie55
Seite 57: alle © Thinkstock/iStockphoto; Thermometer © iStockphoto/Mervana
Seite 58: Sumoringer © Thinkstock/iStockphoto
Seite 60: Sarah Wiener © iStockphoto/Getty Images; Jessica © fotolia/mocker_bat; Vincent © Thinkstock/Monkey Business; Dose, Svenja © Thinkstock/iStockphoto
Seite 61: Pfannkuchen © fotolia/manla; A, B, D, E, F, I © Thinkstock/iStockphoto; C © fotolia/seite3; G © iStockphoto/Afonkin_Yuriy; H © fotolia/seen; J © PantherMedia/Manav Lohia; alle anderen © Hueber Verlag/Iciar Caso
Seite 62: Trainer © Thinkstock/liquidlibrary/Jupiterimages; Stadion, Sporthalle © Thinkstock/iStockphoto; Fotos © Thinkstock/Digital Vision; Videos © iStockphoto/Doug Cannell
Seite 63: Flaggen © fotolia/createur

Alle übrigen Fotos: Alexander Keller, München
Zeichnungen: Monika Horstmann, Hamburg
Bildredaktion: Iciar Caso, Hueber Verlag, Ismaning